愛しの
ゴキブリ探訪記
ゴキブリ求めて10万キロ

My Lovely Cockroach
Exploration

柳澤静磨
S. Yanagisawa

ベレ出版

西表島の森（→11ページ）

幹に静止するヒメマルゴキブリのメス成虫
(→12ページ)

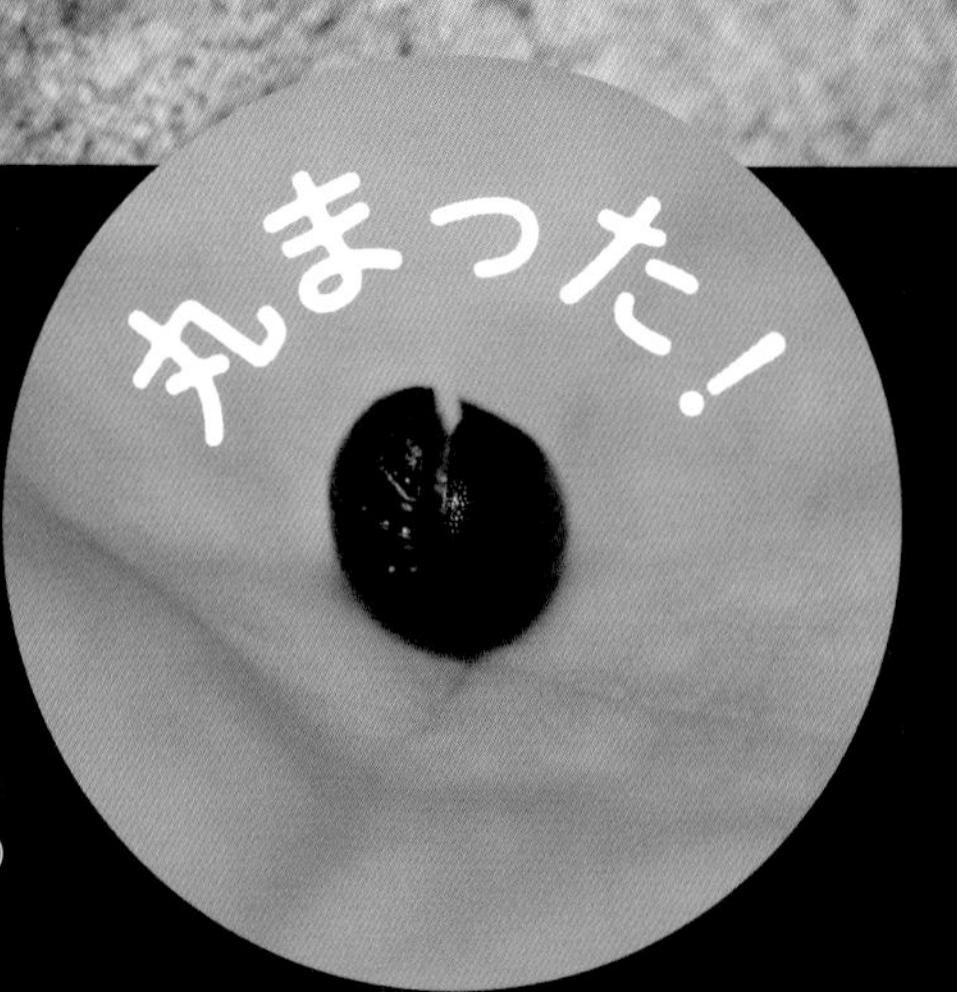

手のひらで丸くなるヒメマルゴキブリ
(13ページ)

昼に林道を歩くオオゴキブリ（→39ページ）

アブラムシの甘露を食べにきたキチャバネゴキブリ
（→49ページ）

リュウキュウタラノキの葉上で見つけたチビゴキブリ
（→50ページ）

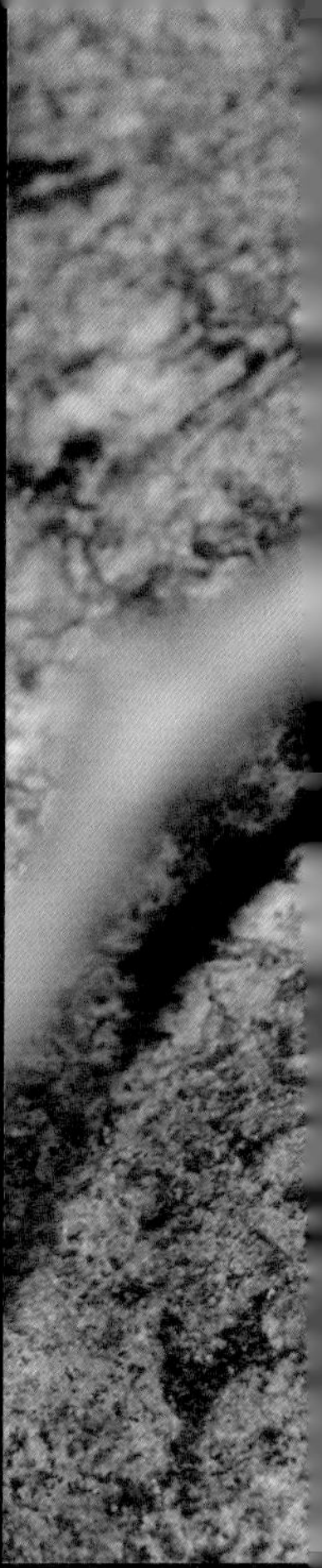

クロモンチビゴキブリの成虫。とても美しい種だ
(→71ページ)

念願のミヤ[illegible]ヘリゴキブリ。
洞窟を出てから安全なところで撮影した（→105ページ）

木の枝で見つけたオオメンシロヘリゴキブリ（→136ページ）

せわしなく歩くヒメマルゴキブリ属の一種
(→137ページ)

刺激すると丸くなった
ヒメマルゴキブリ属の一種
(→138ページ)

葉の上にいたコノハゴキブリの成虫（→138ページ）

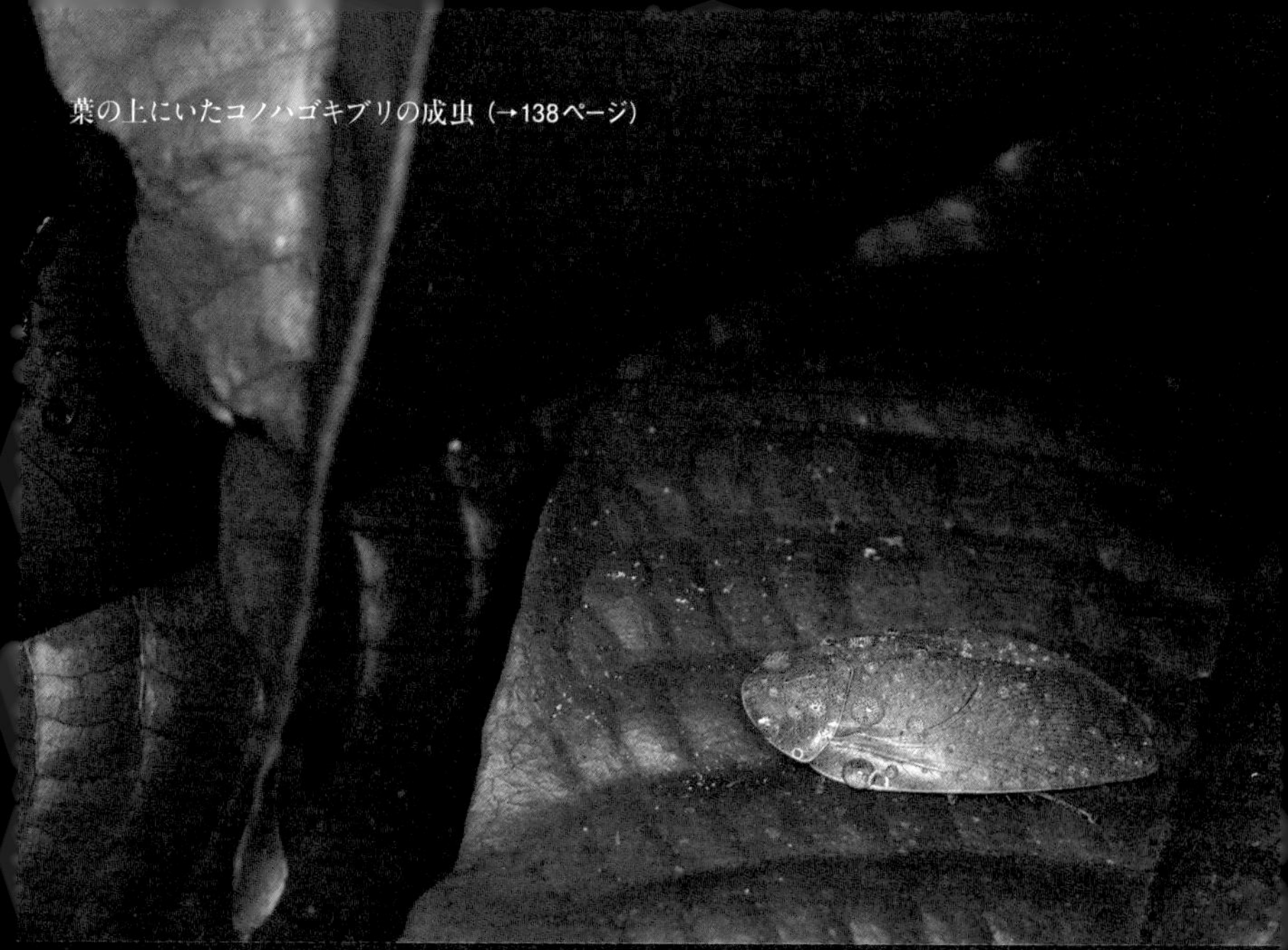

肩車作戦が成功して撮影が叶ったアシナガゴキブリのオス成虫（→149ページ）

ついに発見！ マレーゴキブリ
（→163ページ）

幹に張りつく*Allacta*属の一種（→150ページ）

葉上のクロアシクビワゴキブリ（→153ページ）

ヨロイモグラゴキブリの成虫ペア（右がオス、左がメス）
（→185ページ）

イネ科植物に静止するユーカリゴキブリ属の一種(オス)
(→192ページ)

メス。オスに比べて色が淡い (→193ページ)

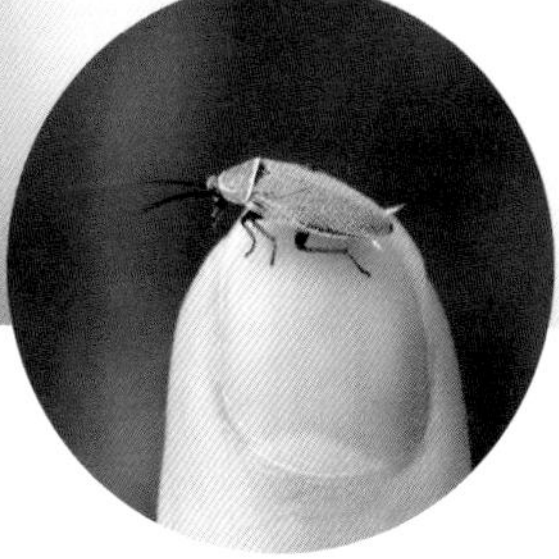

指に載せて撮影。
こんなに小さいとは思わなかった
(→195ページ)

オーストラリア・パースの夕日。これから運命の夜が始まる（→210ページ）

Eupolyzosteria sordida。このゴツゴツとした質感。たまらない
(→211ページ)

ゴウシュウゴキブリ属の一種。金属光沢が素晴らしい
(→214ページ)

Polyzosteria fulgens
(→216ページ)

愛しのゴキブリ探訪記

ゴキブリ求めて10万キロ

はじめに

私はゴキブリが好きだ。


「ええ、信じられない」

「物好きだな」

「なんでゴキブリ？」


今、皆さんが思ったことは手に取るようにわかる。

ごく一部、「私も好き」と思ってくれた読者の方もいるだろう。

ゴキブリは多くの方に嫌われている昆虫だ。それゆえに、「ゴキブリが好きだ！」と言うと、さまざまな疑問が沸き上がってくるのではないかと思う。

私は現在、静岡県にある磐田市竜洋昆虫自然観察公園という、昆虫館と野外公園が併設された施設で働いている。ここで私はゴキブリの魅力を広めるべく、「ゴキブリスト」を名乗って展示や講演会などを行なっているのだが、頻繁に「なぜゴキブリが好きなのですか」と聞かれる。これはゴキブリが多くの方に嫌われているがゆえのことだろう。もし、私が「カブトムシが好きだ！」と言っても、「そうなんですね」で終わってしまうはずだ。

ゴキブリは世界に四六〇〇種以上（Beccaloni、二〇一四）、日本では六四種（柳澤、二〇二二）が生息している。毎年多くの新種が発見されており、これからも種数は増えていくだろう。家の中にいる黒くて素早い生き物というイメージが強いと思うが、ゴキブリはじつはとても多様な生き物で、鮮やかな緑色の種もいれば、カブトムシのようにゆったりとした動きの種もいる。多くの方のもつイメージのなかのゴキブリは、ごく一部の種をもとにした、狭い範囲のゴキブリ像なのである。

かくいう私も、最初からゴキブリが好きだったわけではない。むしろその逆、とても嫌いな生き物だった。見るだけで背に汗をかくし、恐怖で動けなくなる。虫好きが高じて昆虫館で働きはじめてからも、ゴキブリは嫌いなままだった。しかし、あることがきっかけでゴキブリの概念が崩れ去り、私は彼らのことを何も知らないことに気づいた。ゴキブリとはどんな生き物なのだろうか。彼らのことが気になりはじめてしまったのだ。

そしてゴキブリのことを知っていくうちに、その魅力にハマってしまい、ついには彼らを探して旅をするようになった。ゴキブリ展の開催、新種の記載、図鑑の作成などを経て、ゴキブリの世界にどんどん足を踏み入れていき、気づけば、まだ見ぬ魅力的なゴキブリたちに「いつか出会ってみたい」と憧れを抱きはじめた。

本書では、私が憧れのゴキブリたちを求めて旅をし、そこで出会ったゴキブリ、起こった出来事を紹介する。第一章ではゴキブリ嫌いからゴキブリが気になる存在となった話を、第二章では国内でのゴキブリ探しの話を、第三章では海外でのゴキブリ探しの話を紹介する。

世界には魅力的なゴキブリがたくさんいる。家の中に出てくる「黒くて素早い」彼らだけがゴキブリではないのだ。

さぁ、ゴキブリの奥深き世界へ、一歩踏み出してみよう。

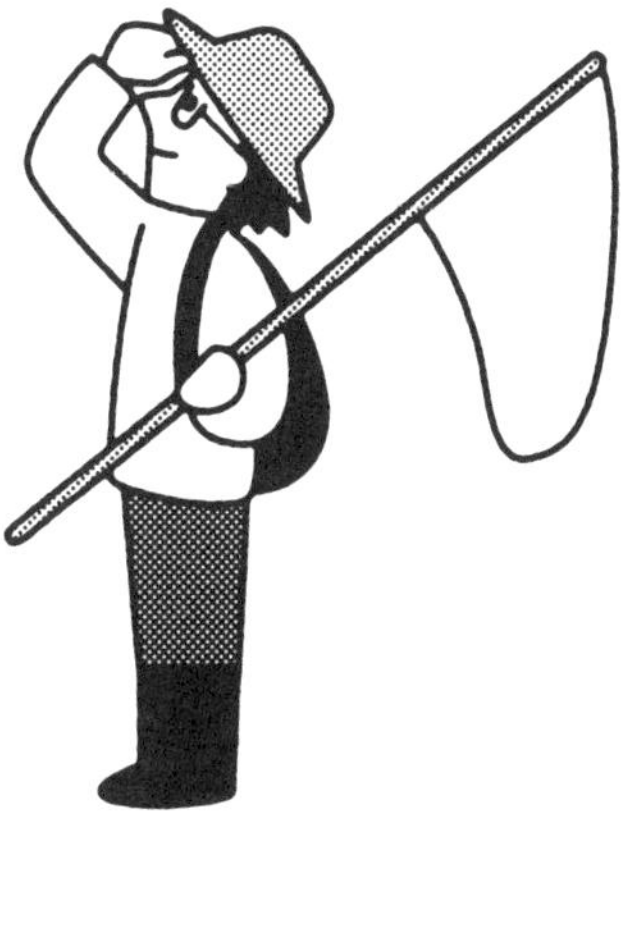

目次

第1章 かくして旅は始まった

ゴキブリ天国、西表島

まずは、旅を始めるきっかけとなった、ゴキブリとの出会いについてお話ししよう。私はもともと、ゴキブリが大嫌いだった。それが今となってはあら不思議、「ゴキブリスト」なんて名乗りながら、ゴキブリについての研究・展示・執筆・講演会などを行なっているのだが、私がこうなったのにはきっかけがある。

私の勤める磐田市竜洋昆虫自然観察公園では年に一回、南西諸島へ昆虫採集の出張がある。私が入社した翌年、沖縄県の西表島《いりおもてじま》に赴くこととなった。飼育の参考にするために生息環境を実際に見ることや、写真の撮影、生体の採集などが目的だ。

私はそれまでさまざまな場所で虫採りを行なってきたが、南の島を訪れるのは初めて。どんな昆虫がいるのかもあまり知らず、まずは下調べすることにした。

クワガタ、チョウ、バッタ、ナナフシなどの昆虫。そして昆虫以外にも、爬虫類や両生類、鳥類、本州では見ることのできない生き物がたくさんいる。行く前からすでに目移りしてしまって、出会いたい生き物たちは数えきれないほどになった。せっかく南の島に行けるのだ。知らずに見過ごしたなんてことは避けたい。できる限り知識を頭に入れて、全力で楽しむ……い

図1-1　西表島の森

やいや、仕事をしなくてはならない。

調べていくうちに、西表島には多種多様なゴキブリが生息していることがわかった。当時、ゴキブリが大の苦手だったため、正直、ゴキブリがたくさんいることを知って、少し腰が引けてしまった。

しかし、まったく興味がないわけではなかった。というのも、この少し前に、上司の北野さんがクロゴキブリ *Periplaneta fuliginosa*（屋内に姿を現す「ザ・ゴキブリ」が本種である）を昆虫館で飼育しはじめ、北野さんが不在のときは私が世話をしていたのだが、エサを与えると寄ってくる姿などを見て、少しかわいいかもしれないと思っていたのだ。

ゴキブリは飼育が難しくないので、何か

図1-2　幹に静止するヒメマルゴキブリのメス成虫

しら見つけられれば、同行する北野さんに採集してもらうのも悪くないかと思っていた。

二〇一七年三月。ついに私は西表島に降り立った。

宿に荷物を置き、採集を開始したのは、あたりが真っ暗になってからだった。

西表島には深い森が広がっている（図1-1）。初めて見る亜熱帯の動植物に感激しながらも、目星をつけていた林道で探索を始める。頭上では鳥が聞きなれない声で鳴き、木の枝には三月だというのに大きなカマキリがぶら下がっている。大興奮である。

次々に魅力的な生き物たちが現れ、暇な

図1-3　手のひらで丸くなるヒメマルゴキブリ

時間がない。地面、落ち葉の下、石の下、ガードレールなど、何かがいないか注意深く探索する。すると、木にダンゴムシのような生き物を発見した（図1-2）。

楕円形で、大きさは一センチメートルちょっと。黒くてツヤツヤしている。ダンゴムシのような見た目だが、ダンゴムシはもっとグレーな色合いなので、違う生き物のようだ。

これはもしや、ヒメマルゴキブリ*Perisphaerus pygmaeus*ではないか？

下調べの際に目にしたゴキブリの名前が浮かぶ。たしか、ダンゴムシのように丸くなることができるゴキブリだ。ゴキブリらしからぬ見た目で、「この種なら触れるかも」と思ったので覚えている。

見た目はほぼダンゴムシである。ゴキブ

リが苦手な私でも、抵抗なく触ることができた。採集したヒメマルゴキブリを観察してみると、危険を感じたのか、コロン、と手のひらで丸くなった（図1-3）。

「本当に丸くなった！」

丸くなることは下調べで知っていた。ただそのときは「そんなゴキブリもいるんだ」くらいにしか思っていなかった。しかし、目の前で今、実際に丸くなったゴキブリを見て、私を大きな衝撃が襲った。

百聞は一見にしかずというが、まさにそれだ。知識では知っていても、どことなく現実味がなかったが、自分の目で見ることで、初めて具現化したような感覚だった。

こんなゴキブリがいるのか。あらためてそう思った。

これまでもっていたゴキブリのイメージが覆された。私が知っていたゴキブリは、ほんのごく一部の種類からもたらされたイメージでしかなかったのだ。

多様なゴキブリ

西表島でのヒメマルゴキブリとの出会いから、私は憑りつかれるようにゴキブリという生き物の魅力にハマってしまった。西表島から帰宅して早速、ゴキブリという生き物について調べなおすことにした。

生物には、上から順に界・門・綱・目・科・属・種というグループ分けがある。この間に亜科や亜属などがある場合もあるが、ここでは省略する。ゴキブリは、ゴキブリ目に含まれる昆虫のことをいう。ただ、ここで少し気をつけないといけないのが、シロアリの存在だ。なぜゴキブリの話をしていて急にシロアリ？　と思った方もいるだろう。じつはこのシロアリ、アリという名前が入っているが、アリの仲間（ハチ目）ではなく、ゴキブリ目の昆虫なのだ。同じ目のメンバーのため、共通点もあるが、それでも一般的に、シロアリとゴキブリはかけ離れた生き物だというイメージがあるだろう（本書では、ゴキブリといった場合はシロアリを除いたゴキブリ目を、ゴキブリ目といった場合はゴキブリ目全体を指すことにする）。シロアリのことは置いておき、ゴキブリについてもう少し掘り下げて調べてみる。

そもそも、ゴキブリをゴキブリたらしめている特徴とは何なのだろうか。旭ら（二〇一六）によると、多くの種は、扁平で、小判型をしており、触角は糸状で多数節、肢がどれも同じ形で、棘列（トゲ）が発達していること、尾肢をもつことなどが挙げられている。家屋内に出没するゴキブリが、まさにピッタリ当てはまる。

ゴキブリは日本全国で見られる。少し前までは「ゴキブリは北海道にはいない」といわれていたが、空調管理の行き届いたビルなどの増加により、現在ではクロゴキブリやチャバネゴキブリなどが見つかるようになった。また、屋外でもヤマトゴキブリが定着している。それでも一般の家庭ではあまり見ないようだが、探せば見つからない虫ではない。

種数が多いのは鹿児島や沖縄の南西諸島などの暖かい地域で、そこでは多種多様なゴキブリたちを見つけることができる。私が行った西表島には三二種（日本産ゴキブリ六四種中の半分）ものゴキブリが生息している。

では、海外にはどんなゴキブリがいるのだろうか。本やネットで調べてみることにした。すると、出るわ出るわ、おもしろいゴキブリの数々。マレーシアに生息するマレーゴキブリ*Archiblatta hoeveni*はまるでエイリアンのような見た目で、危険を感じると薬品のようなにおいの液体を出すという。オーストラリアに生息しているヨロイモグラゴキブリ*Macropanesthia rhinoceros*は地中に穴を掘って生活し子育てをする、世界最重量のゴキブリだ。フィリピンにいるテントウゴキブリの仲間*Prosoplecta*はテントウムシそっくりの見た目で、黒地に赤い紋の種や黄色地に黒い紋をもつ種など、さまざまなテントウムシに似ている。到底挙げきれないほど、多様なゴキブリたちがいることを知った。

私はこれまで昆虫をひたすらに追いかけてきた。そのため、虫のことならある程度知った気になっていた。しかしゴキブリについては、自ら目を閉じて知ることを避けていたので、本当に未知の世界だった。

こんなおもしろい世界が身近にあったなんて、知らなかった。そう感じると同時に、この情報の先にいる本物のゴキブリたちに憧れを抱きはじめた。

ヒメマルゴキブリに出会ったときのように、知識をもっているだけではわからない、実物に出会うことによる気づきや感動があるはずだ。

ゴキブリの図鑑をめくりながら思う。このゴキブリたちに、会ってみたい。これが憧れのゴキブリを求める旅の始まりだった。

私はこれまで、さまざまな場所にゴキブリを求めて旅をしてきた。どのゴキブリも、どの旅も魅力があるが、今回はそのなかでも、特に思い入れの強いゴキブリ探しの旅を紹介する。ぜひ同行者になった気分で読み進めてもらえたらと思う。

番外編① ゴキブリの採集方法

ゴキブリを探してみよう

まだ本書は序盤だが、読み進めていくうちにこの先もしかしたら、「私もゴキブリを採集してみたい！」と思う方が出てくるかもしれない。

ゴキブリは人が踏み込めないような森の中だけでなく、公園や市街地、ときには人家内などの身近な場所にも生息している。身近にある彼らの世界を知るための方法として、採集はとてもおすすめだ。しかし、いざ虫網を片手に虫採りと意気込んでも、前情報なしでは苦戦することだろう。

ゴキブリ採集には数多くの方法がある。ゴキブリの世界をちょっと覗いてみたいな、という方のために、今回はそのなかから私が選んだ「ゴキブリ採集七つ技」を紹介しよう。彼らに目を向けてみると、何気なく通っているいつもの場所が様変わりして見えるはずだ。ぜひ身近な昆虫たちに注目してみてほしい。

図Ⅰ-1　見つけ採り法。じっくりと探す

一の技　見つけ採り法

この採集方法は至って単純。地面や葉の上、木の幹などを目で見て、見つけた虫を採集するという方法だ（図Ⅰ-1）。「なんだ、そんな簡単なことか」と思う方もいるだろう。しかし、この方法は単純であるがゆえに、最も実力が試される方法でもある。ゴキブリに限らず、虫を見つける目、いわゆる「虫目」が育っているかいないかで、見つけられる虫の数が大きく変わるのだ。ベテランの方と一緒に行くと、同じ場所を見ているはずなのに、「ここにいた」「ほらここにも」といった感じにどんどん見つけられてしまい、悔しい思いをするのはあるあるだ。

鹿児島や沖縄などゴキブリの種数が多い

場所では特に有効で、夜間にライトを照らしながら森や林の縁を探すと、ミナミヒラタゴキブリやアミメヒラタゴキブリ、ツチゴキブリの仲間などが見つかる。ちょっと珍しいところではチビゴキブリも見つけることができる。

見つけ採り法はさまざまな昆虫を見つけるのに役立つが、先述した通り、技量によって見つけられる数や種数が大きく変わる。虫目を育てるには、いつもどんなときも虫を探す癖をつけることだ。街路樹の幹、いつも通っている道のわき、会社や学校など、普段の生活のなかでも虫を探していると、自然と虫目が育っていくだろう。そして見える世界が変わっていくのだ。

この方法は、すべての虫採りの基本となる一の技。ぜひ会得してほしい。

採集できるゴキブリ　ほとんどのゴキブリ

二の技　スイーピング法

虫採り網を使って草むらや樹上の葉などを無作為に掬《すく》い、網に入った虫を採集する方法である（図Ⅰ-2）。葉の上にいる虫たちを一網打尽にできるが、うまくネットインするにはテクニックが必要だ。慣れないうちは網がひっくり返って、せっかく中に入った虫たちを空中でばらま

図I-2　スイーピング法。高所を掬っている

いてしまうこともあり、心が折れる。また、網を振っていると腕がかなり疲れるので、網を自由自在に振り回すマッスルと体力が必要だ。

　私はヒメクロゴキブリを採集する際にこの方法を使う。春から夏にかけて高いところの葉にとまっているヒメクロゴキブリをスイーピングで採集できるのだ。南西諸島ではカミキリムシなどを目的にスイーピングしていたらルリゴキブリが入ったという話も多くあるので、ルリゴキブリ属の採集方法としても有効と思われる。

　網は百均で売っているものでも問題ないが、ワンランク上の採集がしたい方は専用の捕虫網を使うといいだろう。サルでも捕まえるのかというくらい大きな網で、広範囲を掬えるうえに、チョウなどを追いかけて捕まえる際にも当たり判定が大きくなる。昆虫専門店などで販売されていて、そこそこな値段だが、網（ネット）の部分だけ昆虫ショップで買って、柄と枠は釣具店で購入すると安く済む。

採集できるゴキブリ　ヒメクロゴキブリ、ミナミヒラタゴキブリ、ルリゴキブリの仲間など

三の技　ビーティング法

葉や枝などを棒で叩き、下に構えていたビーティングネットという平たいネットで受け止めて採集するという方法である（図I-3）。スイーピング法に比べて、高所の虫を採集するのには向かないが、スイーピングで採集しにくい低い場所にある枝葉にいる昆虫を採集するのに便利だ。ただ、受ける側のネットはほとんどただの布なので、飛翔する昆虫は逃げられてしまうおそれがある。

枯れ葉やススキなどを叩くと、ウスヒラタゴキブリやミナミヒラタゴキブリが多く採集できる。彼らを見つけ採りで一個体ずつ採集するのは骨が折れるので、まとまった個体数が欲しいときはビーティングを使うといいだろう。

図I-3　ビーティング法

図I-4　ビニール傘を代用したビーティング法

ビーティングネットという専用のネットが販売されているが、ビニール傘を開き、ひっくり返した状態にして使えば代用することも可能だ（図I-4）。構造的には、布を二つの棒で張っているだけのものなので、手芸用品店で丈夫な白い布を買ってきて自作するのも難しくない。かくいう私も、手づくりネットを使っている。

採集できるゴキブリ ウスヒラタゴキブリ、ミナミヒラタゴキブリ、チビゴキブリなど

四の技 シフティング法

落ち葉の下や土の中に隠れている小さなゴキブリを採集するための方法である。シフティングネットという専用のネット（虫網のネットの真ん中あたりに金網がついていて篩《ふる》うことができるもの）（図I-5、6）を使う。これに地面の表層部をガサッと入れ、軽く揺らすことにより、網の目よりも小さいものがネットの奥部に落ち、採集することができる。普通のネットに、ホームセンターなどで販売されている金網を結束バンドで網の中ほどに取りつければ自作することも可能だ。

この方法は、動きが素早くて捕獲が難しいマルバネゴキブリやツチゴキブリなどの採集に向いている。

採集できるゴキブリ　ツチゴキブリの仲間、マルバネゴキブリ、モリチャバネゴキブリなど

図Ⅰ-5　シフティングネット

Ⅰ-6　シフティングネットの内部

図Ⅰ-7　材割り法

五の技　材割り法

木が枯れ、菌類などによって分解が進んでいるものを朽ち木という。材割り法とは、この朽ち木をナタや手グワ、釘ぬきなどで割って、中にいる昆虫を採集する方法である（図Ⅰ-7）。オオゴキブリやクチキゴキブリなど、材木中で生活するタイプのゴキブリをはじめ、立ち枯れの中にある空隙を住みかにしているコワモンゴキブリやウルシゴキブリも採集することができる。

朽ち木には、よく虫が入っている「よい朽ち木」と、ほとんど虫のいない「よくない朽ち木」がある。慣れてくると、試しに朽ち木を叩くだけで「あ、この木はだめだな」とわかったりする、半ば超能力のような感覚を得ることができる。しかし、「この朽ち木はいるだろう！」と思って割り出しても目的の虫がまったく取れず、「僕が虫だったらこの朽ち木に入るけどね！」と苦しまぎれのセリフを吐くことも。一筋縄ではいかないそんなおもしろさもある。

この方法は、虫の生活する場所自体を奪ってしまうため、実施の際はやりすぎなどに注意が必要だ。また、朽ちているとはいえ、山林の木を勝手に割ってしまうのはトラブルのもととなるので、地主の方にあらかじめ許可を得ることをおすすめする。

採集できるゴキブリ　オオゴキブリ、クチキゴキブリ属、コワモンゴキブリ、ウルシゴキブリ、ヒメマルゴキブリなど

六の技　バナナトラップ法

焼酎や黒砂糖、お酢などを混ぜた液にバナナを漬けて数時間から数日発酵させ、これを日が暮れたころにストッキングなどに入れて木に設置し、数時間してから見に行くと、さまざまな虫が発酵臭に引き寄せられて来ているので、これを採集するという方法である（図I-8）。

私はあまり実施しない方法（トラップ作成と回収に手間がかかり、それに見合ったゴキブリが採集

図Ⅰ-8　設置したバナナトラップ

できないため）だが、これまでに何度か行ない、実際に数種のゴキブリが得られている。

私はだいたい、焼酎、お酢、黒砂糖を七：二：一で混ぜた液にバナナを漬けている。バナナの皮を剥いてそのまま漬ける以外にも、バナナを潰して液と混ぜ、ハケで木に塗る方法もある。また、バナナを使用せず、液を噴霧器に入れて木に吹きつける方法もある。噴霧は採集後のトラップ回収（設置した際は必ず回収すること）が不要だし、バナナを塗りつけることで木を汚してしまうこともなく、とてもおすすめだ。

採集できるゴキブリ　ゴキブリ属、ヒメマルゴキブリ、マルゴキブリなど

図I-9　ライトトラップ

七の技　ライトトラップ法

昆虫のもつ、光に向かって集まってくる「走行性」という習性を利用した採集方法である（図I-9、10）。テレビなどで見たことがある方も多いのではないだろうか。白い布を張り、ライトをつけることで虫を集める。大人気のカブト・クワガタはもちろん、カミキリムシ、ガ、コガネムシなどなど多くの生き物が集まり、ちょっとした祭りのようになる（虫屋さんはライトトラップを屋台と呼ぶこともある。見た目が似ているからだと思うが、言い得て妙でおもしろい）。ゴキブリではクロモンチ

図Ⅰ-10　さまざまな昆虫が来る

ビゴキブリなどが誘引できる。

ライトに集まってくる多くの昆虫を採集できるこの方法だが、実施はなかなかハードルが高い。ライトを点灯するにはもちろん電気が必要だが、山の中には当然コンセントはない。そのため、電源を取れるように発電機を持っていく必要がある。ライトに使う水銀灯やブラックライト、白い布や布を張るための枠など、一式を揃えるとなると十万円以上の初期投資がかかってしまう。これらの機材を山に持っていく足も考えなくてはならない。このような点から、実施にはハードルがあると言わざるを得ない。

車のバッテリーに繋いで点灯するものや、充電することで点灯できるものもあるが、前者は車が入っていける場所でしかできず、後者は点灯時間に限りがある。制限はあるものの、まずはお手軽に楽しみたいという方は、車に繋ぐタイプや充電式のライトを購入するといいだろう。

ライトトラップ自体を禁止している自治体などもあるので、実施の際は問題がない場所か確認し、撤収にあたってはしっかりと片づけを行なってほしい。

採集できるゴキブリ　クロモンチビゴキブリなど

さぁゴキ採りへ！

今回は七つの技をご紹介した。採集の方法を変えることで、出会える種も変わるだろう。ぜひいろいろな技を試し、ゴキブリの世界を覗いてみてほしい。

第2章 日本のゴキブリ探訪記

上品で美しいヤマトゴキブリ

マイフィールド高尾

私が生まれ育った場所は東京都八王子市である。子どものころからさまざまな生き物と触れ合ってきた大切な場所だ。なかでも、中学から高校まで足繁く通っていた高尾山は特別な思い入れがある。

世界一の登山客数を誇るという高尾山は、昼は観光客で賑わっている。たくさんの人がいるなかで昆虫観察をするのはなかなか難しい。そのため、私が高尾山に登るのは主に、観光客がいなくなった夜である。

高尾山の林道の一部には電灯が間隔をあけて立っているのだが、夜になるとこれが灯り、さまざまな虫たちが光に寄ってくる。これが目当てで私は高尾山に通っていた。

ミヤマクワガタ、アカアシクワガタといった、子どもにも人気の昆虫から、カミキリムシ、コメツキムシ、ガなど、好きな人にはたまらない虫たちが乱舞する。私はカミキリムシが好きだったので、オンシーズンには週に二、三回ほど通い、虫探しに明け暮れていた。家から自転車で一時間ほどという立地もあって、学校が終わったら急いで支度して向かい、夜の採集を楽しむことができたのだ。

電灯を回りながら虫好きな友人と虫の話をするというのは私にとって、どんなことよりも刺激になり楽しい時間だった。八王子から引っ越したのをきっかけに、なかなか通うことができなくなってしまったが、それでも毎年一度は高尾山を訪れ、虫探しをしている。

以前、生き物屋の先輩から、一か所でいいので「マイフィールド」と呼べる場所をつくっておくことを勧められた。マイフィールドには何度も何度も通って、そこにいる生き物に広く目を向け、観察する。そうすることで、マイフィールドにはどの時期にどんな虫がいて、どこを探せばいいかわかるようになる。この「基準」をもつことで、他の場所で虫探しをしたときにマイフィールドとの比較ができ、環境の違いや生物の違いに気づけるようになる。だからこそマイフィールドは生き物屋にとって大事なのだと。この考えには私も賛成で、私にとってのマイフィールドがまさに高尾山だ。地元を離れ、昆虫館の職員となった今でも、基準となっている。

帰省と同窓会と虫探し

二〇一八年の夏。実家に帰省したタイミングで、高尾山を訪れることにした。ゴキブリストを名乗りはじめたこともあり、生まれ故郷のゴキブリを見たいという思いもあってのことだ。特に高尾山では、頻繁にオオゴキブリ*Panesthia angustipennis spadica*を目にしていた。今回の観察でも見られるのではないかと期待が高まった。

実家から電車で移動し、高尾山の麓に到着。今回は学生時代からの友人たちと一緒に虫探しである。小規模な同窓会のようなもので、虫を探すのが目的の半分、友人の顔を見るのがもう半分といった感じだ。

電灯があるのは麓から一時間ほど登ったところで、友人たちとは現地集合となっている。まずはそこまで向かう。高尾山はロープウェイとリフトで中腹まで行くことができる山だ。足が悪い方でも小さい子でも、気軽に山の景色を楽しむことができる。

学生のときはロープウェイに使うお金がもったいなくて、暗くなりかけた登山道を自分の足で登っていた。降りてくる観光客から「え、今から登るの？」と言いたげな視線を向けられつつも、山の上で出会えるであろう昆虫たちに思いを馳せつつ登った。体力が落ちてきた今となっては、ロープウェイという文明の利器に救われる。山登りに使う体力は虫探しに使いたい。

さくっとチケットを買ってロープウェイに乗り込んだ。

久しぶりに眺める高尾山の景色をロープウェイから見下ろしていると、学生時代を思い出す。電灯の下で休んでいたらイノシシが近くまでやってきて焦ったこと、虫探しに夢中になって、ほぼ垂直の崖から転がり落ちたこと、などなど。どれも甘酸っぱい青春の記憶だ。

あっという間に終着点が見えてきて、中腹に到着した。とても楽だ。

ロープウェイを降りると、これから下山するだろう観光客がまばらにいる。その隙間を足早

図2-1-1　高尾山の外灯。これに虫が集まる

にすり抜け、さらに登っていった。高尾山のメインの登山道はよく整備されていて、地面もコンクリートで舗装されているため、ちょっとした坂道を登っている感覚に近い。どんどん進んでいくと、カーブにある電灯の下に友人たちの姿が見えた。

彼らは高校時代の科学部生物班の友人たちで、全員生き物好きだ。それぞれ興味の対象は違えど、高校時代に生き物のおもしろさを共有した仲である。

合流して早速、最近はこんな虫を採ったとか、今日はこんなのが採れたらいいな、なんて話し込みはじめた。気づくとあたりは真っ暗になり、電灯の光が私たちを照らしはじめる（図2-1-1）。暗闇が降り、虫探しの幕が上がる。

高尾山にはゴキブリが何種いる?

あたりが暗くなりはじめてから最初の一時間くらいはあまり虫が来ない。そのため、しゃべりながら虫が来るのを待っていた。そのうち、ちらちらと小さなガが舞いはじめ、だんだんと数を増やしていく。カミキリムシやトンボも飛来して、ようやく盛り上がってきた。

さまざまな虫が見られて楽しいが、ゴキブリはライトに来ることは少ないため(種によっては集まるが、高尾山では一度クロゴキブリが飛んできたことがあるだけ)、友人を一人誘い、他の電灯を回りつつ、その周囲で夜間に活動する虫を探すことにした。

ライトを片手に電灯に近づいては、その周辺に落ちている虫を探し、近くにある木や草も丁寧に照らして歩いていく。舗装道路から少し外れた立ち枯れでウスバカミキリを見つけた。高尾山ではよく見るカミキリムシだ。写真を数枚撮ってまた他の生き物を探そうとすると、足元で何かが走るのが見えた。注目すると、モリチャバネゴキブリ*Blattella nipponica*の成虫だ。自然が少しあるところに行けば容易に見つかるゴキブリだが、高尾山では初めて見た。これまで気にしていなかっただけで、ずっといたのだろう。

高尾山にはオオゴキブリ(図2-1-2)も生息している。オオゴキブリは主に朽ちた木の中で生活するゴキブリだが、なぜか昼間の林道に落ちていることもあって、そういった個体をこれまでに数回見ていた。高尾山には少なくともクロゴキブリ、オオゴキブリ、モリチャバネゴキブリ

図2-1-2　昼に林道を歩くオオゴキブリ

の三種が分布しているようだ。

闇夜に紛れる黒い影

登山道を歩いていると、少し先の路上に黒い影が見えた。周りに電灯はない。経験上、こういう場合はゴキブリのことが多い。「クロゴキブリだろうか。でも、もしかしたらオオゴキブリかもしれない」と思い、近づいてみる。ライトに照らされたゴキブリを見て、息が止まった。

暗闇から浮き上がってきたそのゴキブリは、いつか見たいと思っていたゴキブリだったのだ。

「えええ！　ヤマトだ！　ヤマト！」

驚きを隠せず、つい叫んでしまう。少し先に進んでいた友人が状況をつかめずに

「なになに？」と戻ってきた。

そこにいたのはヤマトゴキブリ*Periplaneta japonica*（図2-1-3）だった。

「これ、ヤマトゴキブリだよ。ずっと見たかったやつ」

「そうなの？」

友人もヤマトゴキブリを見るが、「違いがわからん」と言っていた。「なぜわからん、この違いが」そう思うが、少し前まで私も友人と同じで、ゴキブリを見る目をもっていなかったので、口にはしなかった。

「ずっと見たかったんだけど、どこを探せばいいかわからなかったんだよ。まさか高尾にいるとは」

ヤマトゴキブリは北海道、本州、九州に生息するゴキブリ属のゴキブリだ。私の住む静岡県にも分布しているはずなのだが、どうやら静岡では個体数が少ないらしく、今まで一度も見たことがなかった（どういった環境が好みなのかもわからなかったので、見つけられていないだけの可能性もあるが、静岡で長年、虫採りをしている方に話を聞いても一度も見たことがないらしく、やはり少ないのかもしれない）。森林内の樹液などに集まるという情報はあったが、見つかるのはクロゴキブリばかりだった。まさか自分が通いつくした場所で見つかるとは思っていなかったので衝撃である。

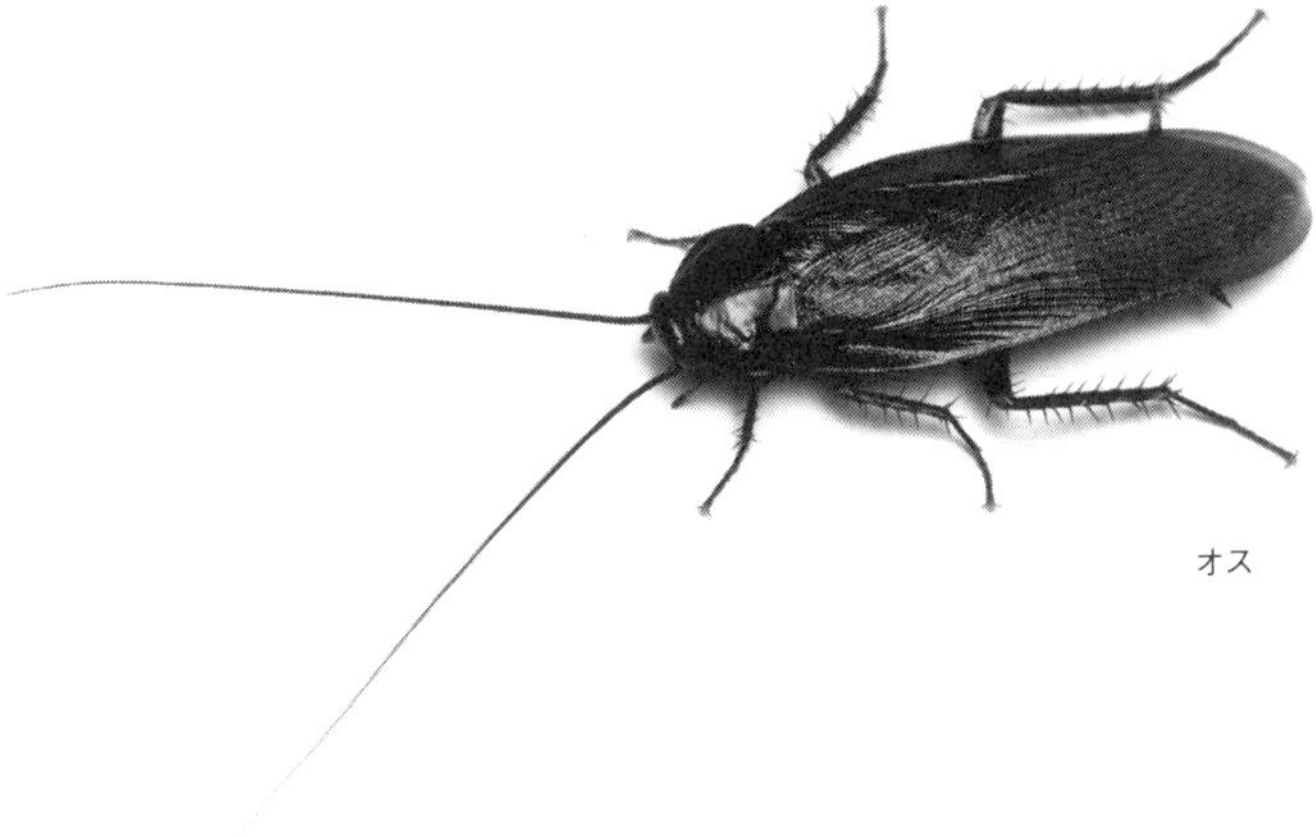

オス

メス

図2-1-3　ヤマトゴキブリ

見つけた個体はメスのようだ。ヤマトゴキブリはオスとメスで翅の長さがまったく違う（図2-1-3）。オスの翅は長く腹部末端を優に超えるが、メスは翅が短く、腹部のほとんどが露出している。全体的に真っ黒なゴキブリだが、上品な美しさを感じる。

つついてみると、ササササッと道路上を蛇行しながら軽やかに進んで止まった。動きはクロゴキブリにそっくりだ。

高尾山には何度も通い、何百匹というゴキブリを見てきた。その度に悲鳴を上げながら避けて歩いていたが、そのなかにはヤマトゴキブリもいたのかもしれない。思い返してみると、クロゴキブリにしては小さいな、というゴキブリが地面にいるのを見た覚えがある。探し求めていたゴキブリを、すでに見ていたのかもしれない。

近くを探してみると、木の幹にもう一匹、道路上にもう一匹見つけた。すべてメスの個体だ。オスの姿も拝んでみたくて探してみたが見つからない。その後も引き続き探したが、追加が見つかることはなかった。

オオゴキブリは私も存在を知っていて判別できていたが、それ以外の種に興味を向けることはなく、「ゴキブリ」としてしか見ていなかった。しかし、ゴキブリの世界に足を踏み込んでみて、それぞれの特徴を知ることで、オオゴキブリとクロゴキブリ以外にも、モリチャバネゴキブリ、ヤマトゴキブリを認識することができた。

目線を変えるだけで、見えていなかったものが途端に見えるようになる。高尾山のことをマイフィールドとして多少知った気になっていたが、全然そんなことはなく、見方を変えると見慣れた場所も大きく変わった世界に見えるということをゴキブリに教わった気がした。

そして、自分がゴキブリの世界を覗く目を持ちはじめたことに若干のうれしさを感じた。

チビゴキブリの卵鞘の謎

天国のような出張

私がゴキブリ好きになったきっかけである石垣島・西表島への出張を皮切りに、竜洋昆虫自然観察公園では年に一度、三月ごろに南西諸島への虫探し出張が定例化した。石垣・西表出張の翌年である二〇一八年は石垣島・与那国島への出張で、私は当然のごとくゴキブリを探した。結果として、未記載種（新種候補）のゴキブリを見つけることができ、法政大学や鹿児島大学などの先生とともに新種記載の研究を始めていた（詳しくは拙著『「ゴキブリ嫌い」だったけどゴキブリ研究はじめました』で紹介している）。

そして、そのまた翌年である二〇一九年三月は、上司である北野さんとともに徳之島、奄美大島へ向かった。

徳之島、奄美大島はともに奄美群島に含まれる島だ。固有の生き物が多く生息しており、有名なところだと、アマミノクロウサギやルリカケスが生息している。ゴキブリもアマミモリゴキブリ*Episymploce amamiensis*やスズキゴキブリ*Periplaneta suzukii*などの魅力的な種が多く生息している。

最初の二日間は徳之島、それから奄美大島に移動して探索を行なった。徳之島はさまざまな

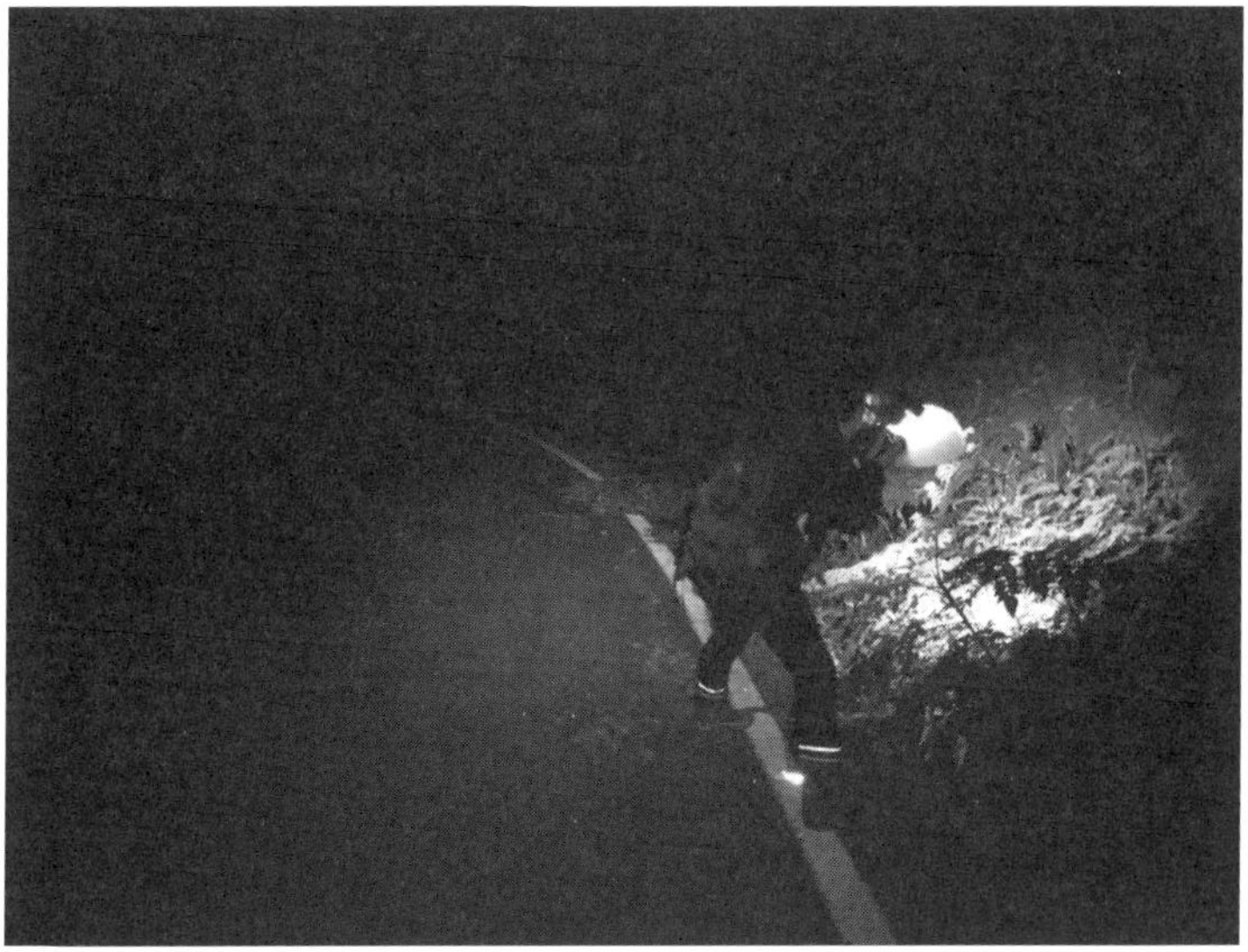

図2-2-1　暗い林道で撮影中の著者

生き物に出会うことができたいへん楽しかった。しかし、印象に残ったのは奄美大島だ。

奄美大島の珍ゴキ

私も北野さんも、奄美大島を訪れるのは初めてだった。どんな生き物に出会えるだろうかとワクワクしながら上陸し、荷物を整えて早速生き物探しに出かけた（図2-2-1）。

夜になって、いよいよゴキブリタイムが始まる。昼に見つけていた環境のいい林道で、草木をライトで照らしながら歩いていると、下草の葉上にキチャバネゴキブリ *Centrocolumna japonica* を見つけた（図2-2-2）。前胸、前翅が琥珀色をした美しいゴキブリ

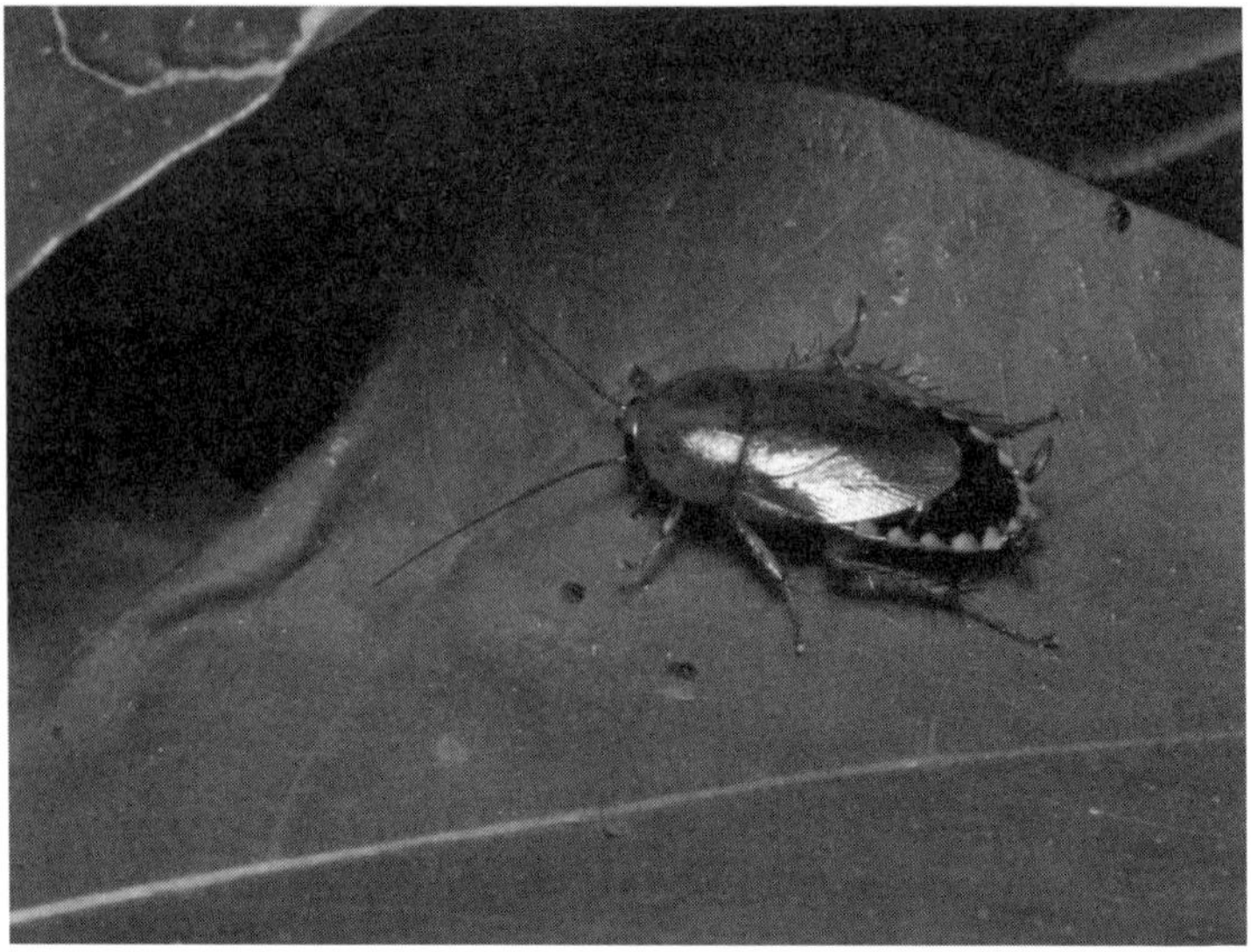
図2-2-2　キチャバネゴキブリ

で、サイズは十五〜二〇ミリメートルほど。ずんぐりむっくりした見た目で、非常に愛らしい。今回の遠征で初めて見ることができたゴキブリであり、夢中で撮影した。林床や葉上に多く、生息地ではかなり個体数がいるようだ。

少し進むと、今度はサツマツチゴキブリ *Margattea satsumana* を見つけた（図2-2-3）。八〜十ミリメートルほどの小型のゴキブリで、四国、九州、大隅諸島、トカラ列島、奄美群島、沖縄諸島などに分布している。千葉県でも移入と思われる個体が見つかっている。透明感のある前翅が美しく、繊細なガラス細工のようなゴキブリだ。後翅は鱗片状で、飛翔することはできない。

ところ変わればゴキ変わる。ご当地ゴキ

図2-2-3　葉上のサツマツチゴキブリ

ブリたちに感動しっぱなしだ。

北野さんとともに他にも虫がいないか探しながら歩いていると、後ろから車の音が聞こえた。道の真ん中にいては邪魔なので端によけると、私たちの近くに来て止まった。

「こんばんは。何を探しているのですか？」

助手席の女性が窓を開けて話しかけてきた。私はなかなかの常識人だ。今自分が夜中の真っ暗な林道で怪しい行動をしている自覚はあるので、不審者に思われないようにできる限り〝いい人そう〟に「こんばんは」と返した。

「虫を探しています」

車の後部座席には、大きな機材を持った

人が二名乗っている。機材にはＮＨＫの文字。どうやらテレビの取材のようだ。

「ハブがいるんで気をつけてくださいね」

「はい、ありがとうございます」

車は発進し、すぐに見えなくなった。

奄美大島にはホンハブが生息している。大型で毒をもち、そのうえ、気性が荒いという恐ろしいヘビだが、私は爬虫類も好きなので、どちらかといえば出会いたいくらいだ。

「ハブ、見られたらいいな」と思いながら歩みを再開すると、林道のわきに生えた四〇センチメートルほどのリュウキュウタラノキに、サツマツチゴキブリがたくさん集まっているのを見つけた。これまでぽつぽつしか見つからなかったサツマツチゴキブリが、一本の木に十匹ほどついている。何をしているのかと見てみると、枝にたくさんのアブラムシがいることがわかった。

アブラムシはストローのような口を植物に突き刺し、汁を吸う。その際、不要な糖分を排出する（これを甘露という）のだが、これを目当てにさまざまな生き物が集まってくる。有名なのはアリだ。アリはこの甘露を目当てにアブラムシに寄ってきて、ときにはアブラムシを襲うテントウムシなどの外敵からアブラムシを守る。

観察したところ、サツマツチゴキブリはアブラムシが出す甘露を食べていたようだった。ゴ

図2-2-4　アブラムシの甘露を食べにきたキチャバネゴキブリ

キブリは雑食性なので、甘露を食べていてもなにも不思議ではないが、これまでさまざまな場所でゴキブリを観察してきて初めて見た行動だったため興奮した。

周囲を探してみると、サツマツチゴキブリに比べて個体数は少ないが、キチャバネゴキブリも甘露を食べに来ていた（図2-2-4）。これはおもしろい。

リュウキュウタラノキが他にもないかあたりを探してみると、五メートルほど進んだところに、背丈三〇センチメートルほどのリュウキュウタラノキを見つけた。こちらにもサツマツチゴキブリやキチャバネゴキブリがついていないか見ようとして、膝から崩れ落ちた。

「うあぁぁぁ！　チビゴキブリ！」

図2-2-5　リュウキュウタラノキの葉上で見つけたチビゴキブリ

そこには小さなゴキブリの姿があった（図2-2-5）。濃い茶色に近い色味で、決して派手とはいえないような見た目だが、私の目にはダイヤモンドの輝きよりもまぶしく映った。

リュウキュウタラノキの葉上にとまったそのゴキブリは、チビゴキブリ*Anaplectella ruficollis*という。大きさは六〜十ミリメートルほどの小型のゴキブリで、四国、奄美群島、沖縄諸島、八重山列島に分布する。オスは腹部末端を超える前翅をもつが、メスの翅は超えないことが多い。目立った模様はなく、茶色を基調とした地味な見た目だが、私はずっとこのチビゴキブリを探し求めていた。本種の魅力は後翅とミステリアスさにある。本種の後翅は非常に大きく、広げるとまるでバットマンのマントのようだ。図鑑で見てから、一度は観察してみたいと思っていた。また、本種は情報が少なく、どこでどうやれば見つけられるという情報はなく、ネット上に写真すらろくにない。正体不明の珍ゴキブリ。これもまたそそる。

そんな憧れのゴキブリに出会えるとは思っていなかったので、緊張のあまり、撮影しようとしても手先が狂ってピントが合わない。

どうにか撮影して、今度は採集するためにケースを出す。憧れが強すぎて、採集しようとする手が震える。ケースにしまうことができたのを確認して、喜びが押し寄せてきた。

憧れのチビゴキブリをこの手に収めたのだ。

暗い林道で、思わず大きな声を出してしまった。このときばかりは、はたから見れば、不審者にしか見えなかっただろう。

卵鞘はどこへゆく

奄美大島から静岡へ帰り一番にしたことは、チビゴキブリの飼育環境を整えることだった。たった一匹のメスしか見つけられなかったため、慎重に飼育しなくてはならない。直径十センチメートルほどのプラカップにクワガタ用マットを厚さ〇・五センチメートルほど敷き、湿らせたミズゴケを一つまみ入れる。そこに樹皮を立てかけて完成だ。野外で採取したメスの場合、すでにオスと交尾を済ませていることが多い。これでしばらく飼育して、繁殖を目指すことにした。

半月ほど経ったころ、ケースの中を覗くと、チビゴキブリの腹部末端に淡い褐色の物体がついているのを見つけた。卵鞘《らんしょう》だ！　ついに産んだ。長らく産卵しなかったので、未交尾か、すでに野外で産み終わってしまっていたのかと思ったが、とりあえず安心した。この調子でたくさんの卵鞘を産んでほしいところだ。

それから少しして、ケースを見て驚いた。先ほどまで出していた卵鞘を九〇度回転させ、腹部に半分ほど引き込んでいたのだ。


ここで少し、ゴキブリの卵とその取扱いについて解説しておきたい。

まず、ゴキブリは卵を、卵鞘という複数の卵が鞘状のもので包まれた状態で産み出す。含まれる卵の数は種によってさまざまだが、クロゴキブリでは二二〜二八個、チャバネゴキブリでは三十〜四十個（旭ら、二〇一六）の卵を含んでいる。この卵鞘をどうやって取り扱うかは、分類において重要な特徴になる。

ゴキブリは大きく分けて三タイプの産卵様式をもつ。一つ目が卵生だ。日本産だとクロゴキブリやチャバネゴキブリの産卵様式で、卵鞘を産み出してすぐ、または孵化の直前に産み落と

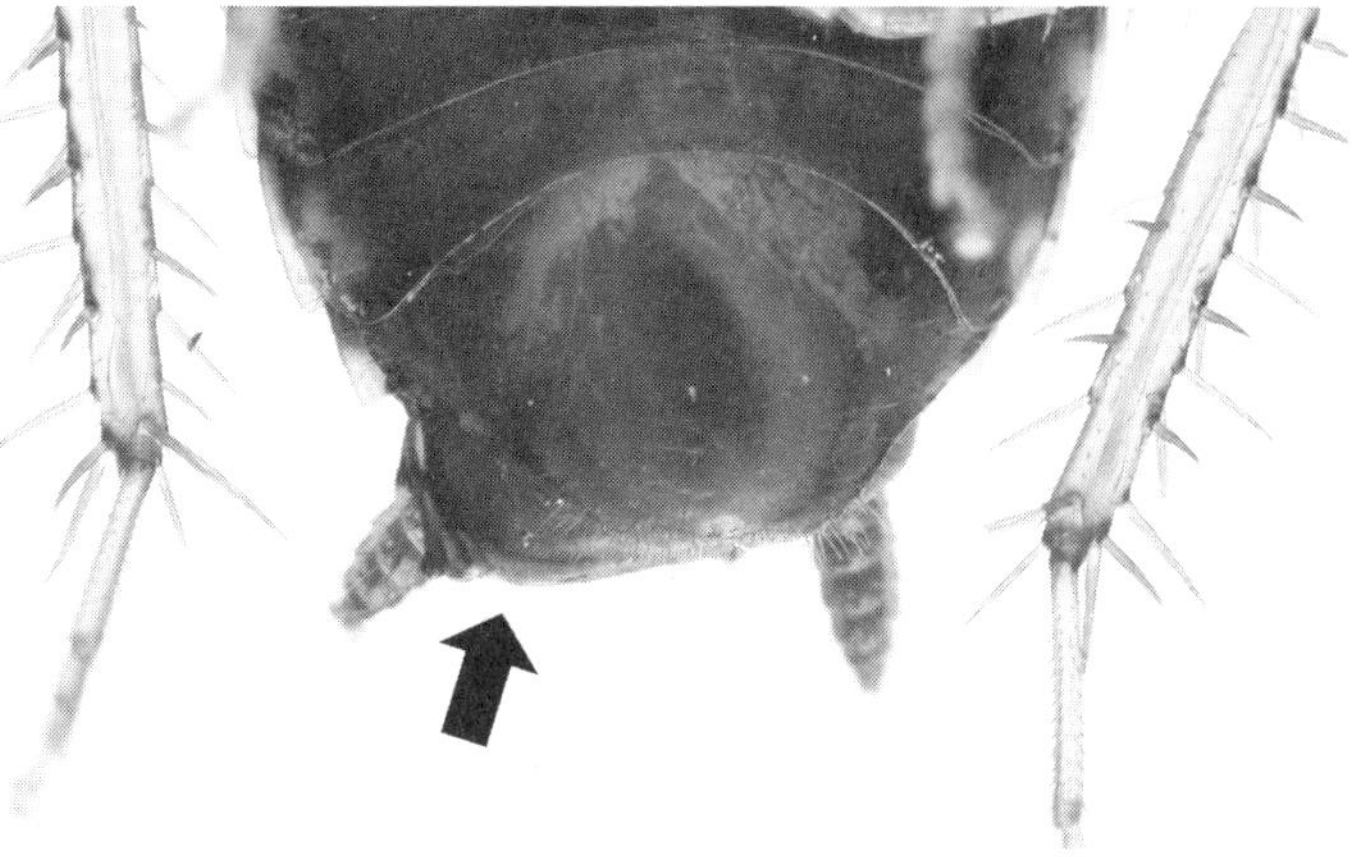

図2-2-6　メス成虫の腹部。引き込んだ卵鞘が見える

す。二つ目が卵胎生だ。腹部から突き出した卵鞘を産み落とすことはなく、腹部の保育嚢《ほいくのう》に収納し、孵化した幼虫を産み出す。日本ではオオゴキブリやヒメマルゴキブリなどがこの卵胎生である。三つ目が胎生で、卵鞘形成後に育児嚢へ引き込み、胚に栄養物質を与えて養育した後に幼虫を産み出す。胎生のゴキブリは現在までにカブトムシゴキブリ *Diploptera punctata* の一種しか知られていない。

チビゴキブリの属するグループ（Blattellidae）の多くは卵生である。しかし、腹部に卵鞘を収納するのは卵胎生の特徴だ。チャバネゴキブリ科でも卵胎生の種は知られているが、非常に少なく、四属でしか知られていない。

チビゴキブリは卵胎生だったのか？　だとすれば、大きな発見だ。ワクワクしすぎて、いてもたってもいられなくなる。こんなことはきっと誰も知らないはずだ。

ずっと見ていたい気持ちにかられたが、あまり刺激してしまうと卵鞘を脱落させてしまう可能性もある。今は我慢のときだと自分に言い聞かせ、この日はケースを閉じて帰宅した。

翌日、ケースを開けて愕然とした。チビゴキブリがぐったりとして動かないのだ。つついても反応がない。理由は不明だが、死んでしまっていた。卵鞘は腹部末端から見える(図2-2-6)。なんと悔しいことか。

チビゴキブリが卵胎生かどうか。結局判然としないまま、飼育は幕を閉じてしまった。

卵鞘の謎を探れ

奄美大島でチビゴキブリと感動的な対面を果たして少ししたころ、もう一度チビゴキブリ(図2-2-7)を飼育する機会が巡ってきた。沖縄に住むゴキブリ好きの友人が採集して送ってくれたのだ。今度こそ卵鞘の謎を解くため、研究を開始した。ただ、一人では時間不足や力不足のこともあり、採集してくれた友人と、もう一人のゴキブリが好きな友人の二人を誘い、三人で進めていくことにした。

しかし、研究は困難を極めた。というのも、まずチビゴキブリは珍しく、たくさんの個体を

図2-2-7　チビゴキブリの成虫

集めるのは難しい。研究として発表する際は多数の個体を観察し、データを取ることが重要である。沖縄の友人に見つけた個体を送ってもらいつつ、自分も沖縄を訪れ、採集した。どうにか得られた個体を繁殖させ、研究に十分な個体数（約二〇個体）を確保するだけで数か月も要した。

集めることができた個体を観察することも簡単ではない。交尾させたメスを一個体ずつ分けて飼育し、暇さえあれば卵鞘を産み出していないか確認する。研究では、卵鞘を産み出した時間なども計測するため、卵鞘を産み出しはじめるその瞬間を捉えなければならない。こまめに観察し、卵鞘を産み出した瞬間を見つけてはじっと観察した。当然だが、こちらの思い通りの時間に卵鞘を産み出してくれるわけではない。ときには、夜十一時から観察を開始して、夜中三時まで眠れないこともあった。しかし不思議なことに、つらい、面倒くさいとは一切思わなかった。それよりも、この卵鞘の謎を解き明かしてやろうというワクワクした気持ちがあふれていた。

二〇二三年。日本土壌動物学会が発行する国際誌『Edaphologia』に私たちの論文（Yanagisawa *et al.*、二〇二三）が掲載され、研究が日の目を見ることとなった。

私たちが発表したチビゴキブリの卵鞘取り扱い行動は次の通りである。

まず、体に対して垂直に淡褐色の卵鞘を産み出す。次に、腹部末端で時計回りに九〇度回転させ、体に対して平行にした後、五八〜七二分かけて腹部に引き込み、二〜一一日間、卵鞘を抱えたまま行動する。そして、樹皮などの適した場所に卵鞘を産下し、基材で隠す。

一度腹部に引き込んだ卵鞘を孵化よりもずっと前に産下する産卵方法は、ゴキブリ類で初めて確認された。この産卵方法は、卵鞘を回転させ、腹部に引き込むことから、卵胎生

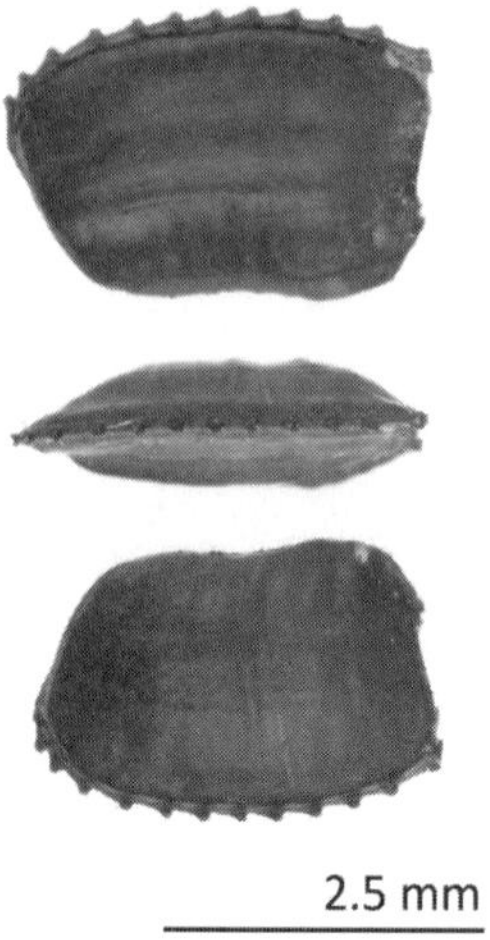

図2-2-8　チビゴキブリの卵鞘。
左右で形が違う

と密接な関係があると考えられる。また、卵鞘は隆起縁（中心にある開閉する線）を中心に左右で形態が異なり、左側は凹み、右側は膨らんでいる。これは、メスの腹部にしまう際に適した形状なのではないかと考えられた（図2-2-8）。

たった一匹のメスから始まった卵鞘の謎追いは、広く果てしないゴキブリの世界を覗き込む新しい窓となった。

華麗に舞うクロモンチビゴキブリ

雲のようなゴキブリ

野外に生息するゴキブリは、採集する人が少ないがゆえに、情報も少なく、生息場所や生態について不明な種が多い。クロモンチビゴキブリ*Anaplecta japonica*もそんな一種である。ゴキブリの「黒い」というイメージを払拭するような白い体に、前翅の付け根に黒い丸紋をもつ非常に美しいゴキブリで、大きさは六～七ミリメートルほどと小型だ。国内にまばらに記録があるものの、どこでどうすれば採集できるかは不明だった。私の住む静岡県でも記録はあるが、情報は少ない。

謎多きゴキブリかつ美しきゴキブリということで、もともと「謎」とか「幻」が大好きな私は、美しいという魅力も相まって、本種にただならぬ憧れを抱いていた。いつか出会ってみたい。そうは思っていたものの、雲をつかむような話で、なかなかそのチャンスがないままでいた。

二〇一九年八月、友人の野村拓志さんから、本種が採集できるという場所に一緒に行かないかと誘ってもらった。どうやら、私がクロモンチビゴキブリを探しているという話をしたところ、野村さんが知人の方にクロモンチビゴキブリの記録がある場所を聞いてくれたようだった。

直近の記録ではないようだが、そこに行けば見つかるかもしれないという。場所は四国某所。私の住む静岡県からはかなりの距離があるが、電車で兵庫まで行けば、野村さんが車を出してくれるという。ありがたく乗せてもらうことにした。

憧れのクロモンチビゴキブリを探す旅が決定した。

迫りくる

今回、大きな問題が文字通り発生していた。台風である。

南鳥島付近で発生した台風八号が宮崎県に上陸し、中国地方、四国、九州に大雨と暴風をもたらしていたのだ。

ポイント（生き物の産地や探す場所をポイントと呼ぶことがある）のある高知県に直撃するわけではないが、今回の遠征はその影響を大きく受けそうだ。できることなら予定をずらして、安全に採集といきたいところだが、二人の予定を再度合わせるのはなかなか難しい。さらに、クロモンチビゴキブリは夏から秋にかけてよく見つかっており、予定を調整しているうちに冬になって見つからなくなってしまう可能性もあるため、このチャンスを逃すまいと決行することにした。

当日。私の住む静岡県磐田市から電車を乗り継ぎ、待ち合わせの駅に到着した。今回の遠征は二日間の予定だ。着替えも持ってきているので少し大荷物だが、ここからは野村さんの車に乗せてもらえるということで助かる。

時間はまだあるが、やることは特にない。あたりを見回しても時間をつぶせそうな場所はないようだ。ぶらぶらと歩いていると、駅の外れに草むらを見つけた。ケースもあるし、ゴキブリを探すことにしよう。

落ち葉をどけてみると、モリチャバネゴキブリを見つけた。本種は本当にどこにでもいる。見知らぬ土地に来ても、彼らを見つけると安心する。

モリチャバネゴキブリは、前胸に二本の黒条紋をもつ。この模様は場所や個体によって差があり、それぞれが細めではっきりとした個体から、なかにはこの二本の黒条紋がほとんど繋がって、前胸全体が真っ黒な個体までいる。バリエーションに富んでいてとてもおもしろい。いつか変異をまとめるのもおもしろそうだな、と思っており、降り立った土地で本種を見つけたら採集するようにしている。この場所のモリチャバネゴキブリも、何匹か採集することにした。

ゴキブリの採集について、最近いい方法を見つけた。使うのは防湿容器（透明なフィルムケースのようなもの。透明であることが重要。蓋は使わないので外しておく）と、スクリュー式の蓋がついた遠沈管の、二つ（図2-3-1）である。

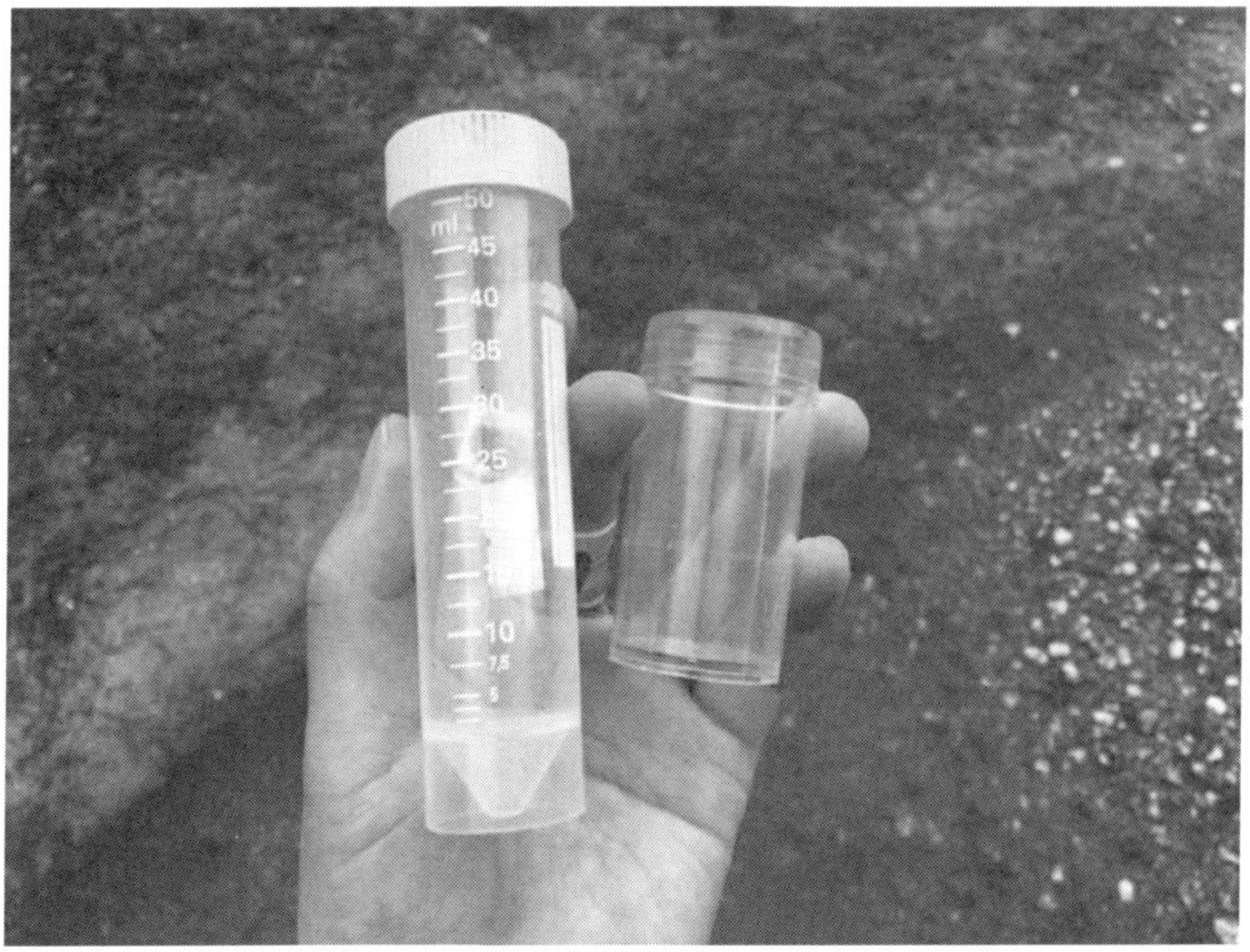

図2-3-1　防湿容器と遠沈管

ゴキブリを見つけたらまずは落ち着き、彼らを観察する。多くのゴキブリは落ち葉や小石の隙間に逃げようとするため、しっかりと追い、どこに隠れ込んだか視認する。次に、隠れた場所の周辺を丁寧に整え、防湿容器をゴキブリの頭がある方向にセットし、後ろのほうから指で刺激を加える。すると、刺激を嫌がって動き出したゴキブリが防湿容器に入り、最上部で止まるので、防湿容器の口と遠沈管の口を合わせて防湿容器に衝撃を加えると、遠沈管にゴキブリが落ちる。登ってくる前に蓋を閉めて捕獲完了だ。

小型のゴキブリであれば、どの種にもこの方法が使える。ゴキブリは体がやわらかく、摘まんで捕獲しようとすると、簡単に触角や肢が取れてしまう。標本にするにも、飼育するにも、ゴキブリはきれいなまま捕獲したい。この方法であれば、ゴキブリを傷つけることなく捕獲できてとてもいい。

大型のゴキブリの場合は、よほど強く握らなければ潰してしまうことはないので、素手で捕獲する。捕獲したゴキブリを入れるケースは遠沈管ではなく、直径十センチメートルほどの蓋つきの円筒形プラスチックケースを使う。ケースの上部に炭酸カルシウムをエタノールで溶いたものを塗布しておく。これは、ゴキブリを飼育する際に脱走防止のために使われる技で、炭酸カルシウムが塗布されていると、ゴキブリはそれより上に登ることができない。そうすると、蓋を開けっぱなしにしておいても逃げ出すことはなくなる。ここに、捕獲したゴキブリをどんどん入れていくのだ。

私はこれをゴキ壺と呼んでおり、先に紹介した防湿容器と遠沈管、ゴキ壺の三つは、ゴキブリ採集に行く際は必ず携帯している三種の神器だ。

モリチャバネゴキブリの場合は防湿容器と遠沈管を使う。見つけては防湿容器に誘導して、遠沈管に落として捕獲していく。遠沈管にあらかじめ落ち葉などを入れておくと、落ちたゴキブリが隙間に隠れて落ち着くので、逃げ出すリスクが減る。うまくやれば一つの遠沈管に複数の個体を捕獲できる。見つけては捕獲を繰り返し、あっという間に十匹ほど捕獲できた。クロモンチビゴキブリ採集のウォーミングアップもできたところで待ち合わせの場所に向かった。

少しすると、野村さんが車で到着した。野村さんはメガネをかけた短髪の男性で、笑顔が絶えない陽気な方である。最も興味をもっているのはカメムシで、飼育と採集の両刀使いである。

「こんにちは。よろしくお願いします。すみません、車出してもらって」

「よろしくお願いします〜。いえいえ、ピンチになったら交代してください」

「もちろんです」

少し会話して、野村さんは車を走らせはじめた。ここからポイントまで、約四時間のドライブだ。

駆ける縞模様

途中で昼食をとり、ようやくポイントに到着した。結局、野村さんがずっと運転してくれた。私は横で座っていただけだ。感謝しかない。

道中も天気は悪く、雨が降ったりやんだりを繰り返していた。土砂降りの時間もあって、風も強い。天気予報でも今日一日不安定な天候だという。

車から降りて雨具を着用する。雨は降っているが、耐えられないほどではない。

野村さんが準備をしている間に、道路のわきにある落ち葉をどけてみると、何かが走るのが見えた。ゴキブリである。これはもしやと思って採集すると、二ミリメートルほどしかない幼虫だ。クロモンチビゴキブリは情報が少なく、幼虫の姿を私たちは知らなかった。そのため、これがクロモンチビゴキブリの幼虫なのか判断に迷う。

「ゴキブリの幼虫が採れました」

とりあえず野村さんに報告することにした。

「お！　早速ですか！」

「クロモンチビの幼虫の姿がわからないんで、どうなのか微妙ですけどね……」

しかし、よく見てみると、捕まえたのはモリチャバネゴキブリの幼虫だった。「もしや、そうであってほしい」という心は同定を狂わせる。何度も見たモリチャバネゴキブリの幼虫も怪しく見えてくるのだ。さすがにそこまで甘くない。

「これ、モリチャバネゴキブリの幼虫でした」

「あー」

採集は始まったばかり。焦ることはない。

車から歩いて本命のポイントに向かう。道沿いにあった階段を下りていくと、ススキやクズが生育し、細いサクラの木がまばらに植えられた、原っぱのような環境が広がっている（図2-3-2）。ここがポイントだ。

「意外に、こんなところにいるんですね。どこにでもありそうな環境ですけど、なんであんま

図2-3-2　クロモンチビゴキブリの生息地

りいないのかなぁ」

目の前にある環境は正直、特殊なものではない。山間を流れる川の近くにある、ちょっとした緑地だ。私の住む静岡県にも、このような環境はたくさんある。それなのに見つからないのはなぜだろうか。

「ススキなどの枯草の下で見つかったみたいです」

「まずは一匹見つけましょう」

軍手をはめて、ススキの根元にしゃがみ込む。野村さんも少し離れた場所で探しはじめた。雨は強く降っており、すでに服の中まで染み込みはじめている。

ススキの枯れ葉をどかしてクロモンチビゴキブリがいないか確認するが、眼鏡にたくさんの水滴がついて視界が悪い。こんな

図2-3-3　枯草をどけて探す

に濡れながら採集したのは何年ぶりだろうか。風邪を引くとか、そういうレベルの話ではない。水滴で見えなくなった眼鏡をシャツで拭うものの、シャツも水浸しなので、いくら拭いても眼鏡の水滴は取れない。最初のうちはつらいな、という感情があったものの、すぐにゴキブリ探しに集中しはじめた。シャワーを浴びていると思えばなんのことはない。問題なのは、雨に濡れた枯草や土をかき分けるという採集方法だ（図2-3-3）。私はもともと土をいじるのが好きではない。軟弱な若者みたいなことを言うな、と言われそうだが、実際その通りで、できることなら土には触りたくない。土が爪の間に入ったりしたら完全にきれいになるまで取りたい派の人間なので、泥だらけになりながら土をかき分ける作業になかなか慣れない。

しかし、それも探しはじめてから十分くらいのもので、途中から諦めがついた。

枯草の下にはさまざまな生き物が生活しており、先ほども見つけたモリチャバネゴキブリの幼虫やカメムシの仲間、ゴミムシの仲間など、じつに多様な面々が見つかるのでとてもおもしろい。

クロモンチビゴキブリはなかなか姿を現さないが、虫採りに夢中になっているこの時間が楽しい。台風が接近していると知ったときはどうしたものかと悩んだし、ここまで来る間もずっと「雨よ上がってくれ」と祈っていたが、一度濡れてしまえばどうということはない。採集ポイントは航空写真で見ると、川に近く見えたので、増水に注意が必要だなと思っていたが、実際は少し高台にあったため、心配はしなくてよさそうである。

降りつづく雨に耐えながら探索を続けていると、一瞬、白い小型の昆虫が草の隙間から飛び出したのが見えた。あっと思って咄嗟に手を出すも、正体は確かめられないまま、その虫はどこかに消えてしまった。

今の虫、クロモンチビゴキブリだったのではないか？　取り逃がしてしまったのはもちろん悔しいが、正体を見極められなかったことが何よりつらい。最初の一匹を見つけられると、「ここに生息しているんだ」という事実がモチベーションをアップさせる。最初の一匹は重要なのだ。

クロモンチビゴキブリらしき虫が消えたあたりを徹底的に探すが見つからない。もうどこかに行ってしまったようだ。逃げられてしまったが、怪しい影を見つけることはできた。

少し場所を移動して、草だまりをかき分ける。すると、黒に白い縞模様をもつ見慣れないゴキブリが視界の端を走った。枯草の下に潜ったそのゴキブリを見過ごさず、ゆっくり草をどけると、またも走り出した。これはもしや。

「いた！」

叫びつつ、見失わないよう慎重に追う。クロモンチビゴキブリの幼虫を見たことはないが、おそらくこれがそうだろう。サイズは三ミリメートルほど。摘まめば死んでしまうので、防湿容器に誘い込むようにして採集しようと試みる。行く手に防湿容器を構え、後ろから指で刺激する。あと少し。そう思ったところで、目標のゴキブリはピョンと跳ねてどこかへ消えてしまった。

必死に周囲の草をどける。しかし姿はない。「また逃げられたか」そう思って愕然としていると、草をどけて地面が露出した場所に一匹のゴキブリが飛び出してきた。願ってもない好機を逃さず、防湿容器を被せて捕獲した。慎重に遠沈管へ移し、足場になるように、近くにあった枯れ葉を一枚入れた。

図2-3-4　クロモンチビゴキブリの幼虫

泥だらけの手で遠沈管を持ち、ゴキブリを眺める。黒の面積が大きく、白い縞模様が目立つ。明らかにモリチャバネゴキブリの幼虫とは違う見た目をしている。こんなゴキブリの幼虫は見たことがない。これがきっとクロモンチビゴキブリの幼虫だ（図2-3-4）。

雨が降りしきるなか、笑みがこぼれる。憧れのクロモンチビゴキブリをついに採集したのだ。

舞う成虫

一匹捕獲できたことで安心して、さらなる個体を探す。素早く逃げ、跳躍もするうえに、小石や土の隙間に逃げ込むのもうまい。降りつづける雨も邪魔して採集しづらいが、順調に採集していく。標本として保存する個体と、飼育する個体の両方欲しいため、三〇匹ほど採集できるといいと考えていた。

数匹採集したところで、あらためて観察してみると、翅芽《しが》（成虫になると翅になる部位）が大きいことから、ほとんどの個体が終齢幼虫のようだった。最初に見つけた謎の虫は白っぽい色をしていた。あれがクロモンチビゴキブリだったとすれば、幼虫ではなく成虫だろう。翅芽は羽化の直前になるとかなり膨らむ。見つけた幼虫のなかには翅芽がパンパンな個体も見受けられたので、もしかしたら少し早く羽化した成虫がいるのかもしれない。おそらく、羽化のシーズンとしては、一週間から二週間後がピークと思われる。

幼虫はある程度見つけることができたので、今度は成虫を見てみたい。

引き続き、這いつくばりながら枯草をひっくり返してゴキブリを探す。幼虫は簡単に見つけられるようになってきた。コツとしては、草だまりを一気に持ち上げることだ。ちまちまやると、彼らに気づかれて奥へ奥へと逃げられてしまう。よい草だまりを見つけたら、ひと思いにガサッとどける。すると、隠れ家をいきなり失ったゴキブリが右往左往するのでそれを採集するというわけだ。このことがわかってからは順調に個体を集めていくことができた。

一時間くらいしたころだろうか。ひたすらに草だまりを探索していると、白い虫が走ったのが見えた。間違いない、クロモンチビゴキブリの成虫だ（図2-3-5）。今度こそ逃がすものか！

オス

メス

図2-3-5　クロモンチビゴキブリの成虫。とても美しい種だ

と瞬時に防湿容器を被せる。その瞬間、フワッとクロモンチビゴキブリが飛び上がった。まるで小型のガのように、自在に方向転換しながら飛翔したのだ。着地したところをもう一度狙うも、またしても飛翔し、どこに行ったかわからなくなってしまった。これまでさまざまなゴキブリを見てきたが、日本産でここまでうまく飛翔できるゴキブリを知らない。まさに「舞う」という表現がぴったりの飛翔だ。小型なうえに薄い体色のため背景に同化してしまい、飛翔すると追うのが難しい。「彼らが白っぽい見た目をしているのは、もしかしたら……」そんな考えを巡らせながら再度、成虫を探しはじめる。

チャンスはすぐに訪れた。勢いよくどけたススキの枯れ葉だまりから、クロモンチビゴキブリの成虫が飛び出したのだ。考えるよりも先に手が出ていた。見ると、防湿容器の中で動くクロモンチビゴキブリの成虫を確認することができた。

ただ、まだ安心はできない。遠沈管に入れるまでは油断してはいけないのだ。クロモンチビゴキブリは地面に被せた防湿容器の中でかなり激しく動いている。落ち着くまで待って、蓋を外しておいた遠沈管の口と防湿容器の口を合わせる。地面にトンと当てて衝撃を加えると、クロモンチビゴキブリが遠沈管の中に落ちた。すかさず蓋をして、ついに採集完了だ。

「野村さん！　成虫採れました！」

あまりのうれしさに、離れた場所にいる野村さんに報告した。だが、雨にかき消されたのか

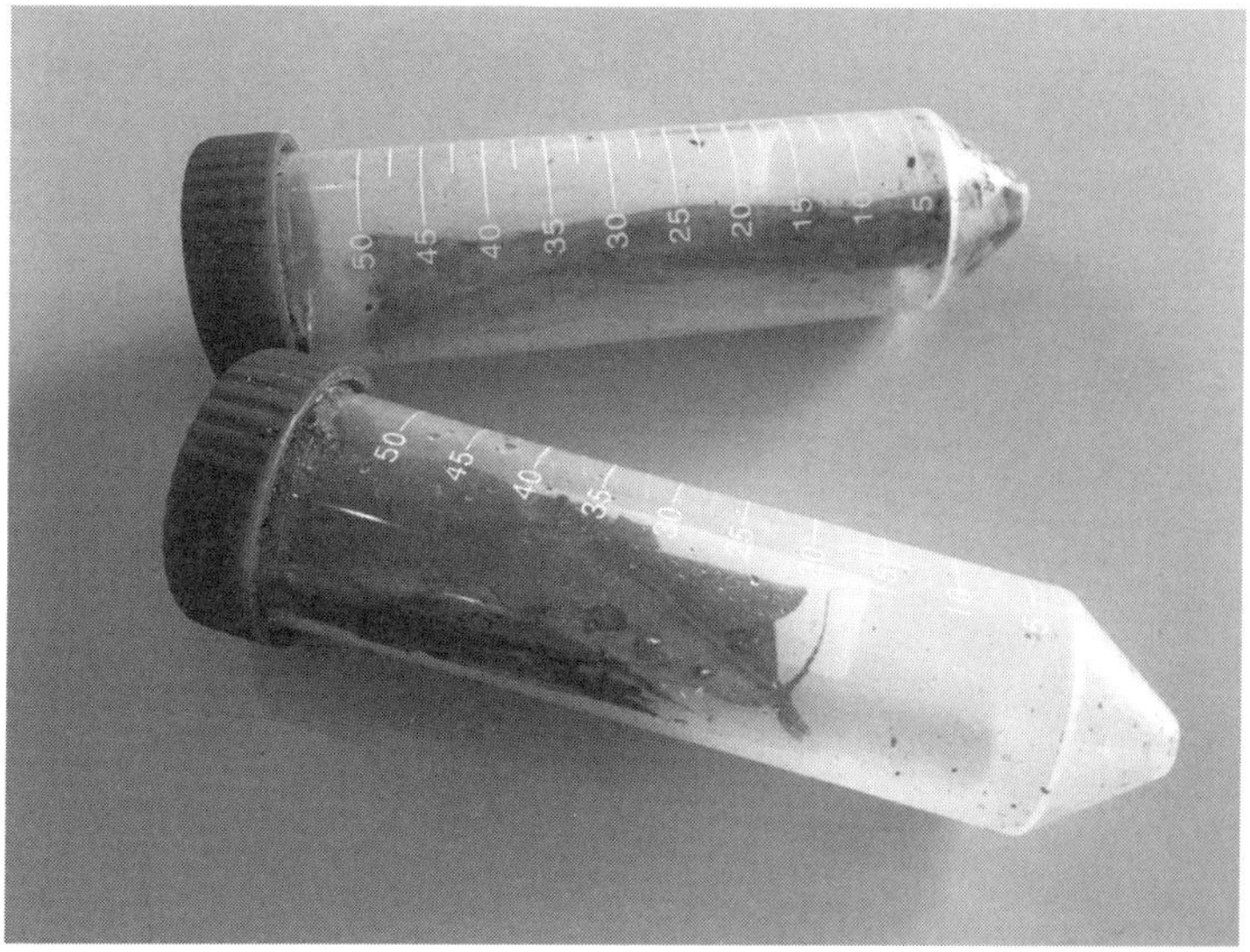

図2-3-6　採集したクロモンチビゴキブリは遠沈管に入れて持ち帰る

反応はなかった。野村さんも熱心に探しているようだ。

遠沈管の中に入ったクロモンチビゴキブリは一番奥のところで落ち着いている（図2-3-6）。白い。幼虫からは想像できない見た目をしている。なんと美しいゴキブリだろうか。

水たまりに立ちながら、しばし見入ってしまった。

ゴキブリはすごい。彼らの世界に一歩踏み込んでみるだけで、彼らのイメージがどんどんと変わってゆく。少し前のゴキブリ嫌いのままであれば、こんな雨の中で採集することもなく、ゴキブリに対してもつイメージは「汚くて黒い虫」のままだっただろう。

空を見ると、相変わらず厚い雲がかかり、雨はやみそうにない。ただ、今回ここに来て本当によかったと思った。何事も一つの視点から見て判断するのではなく、さまざまな視点をもち、近づいたり離れたりしてよく観察しないと、本質は見えない。クロモンチビゴキブリを通して、ゴキブリの新たな一面を見ることができたようで、たまらなくうれしかった。

その後も雨に打たれながら数を追加していき、合計五〇匹ほど採集することができた。これだけいれば生体写真を撮ることも、繁殖にチャレンジすることもできそうだ。

満足な数が採集できたことと、周辺が暗くなってきたこと、そしてさすがに疲労困憊のため、本日の採集は切り上げることにした。我ながら頑張った採集だった。

本来の予定であれば車中泊を考えていたが、疲れもあり、さすがに宿に泊まることにした。野村さんが手際よく宿を見つけてくれたため、そこに宿泊することに。夜も近くの森で生き物観察をして、翌日も周辺を探索。大満足で帰路についた。

木の精霊アカズミゴキブリ

西表島、再び

八重山列島西表島。イリオモテヤマネコが生息することで有名な島で、その他にもカンムリワシやヤエヤマオオコウモリ、ヤシガニやヤエヤマセマルハコガメなどなど、さまざまな生き物たちが生息している、生き物好きにはたまらない島だ。ゴキブリも多くの種類が見つかっており、日本一美しいといわれるルリゴキブリ属のルリゴキブリ*Eucorydia yasumatsui*や、日本最大のゴキブリ・ヤエヤママダラゴキブリ*Rhabdoblatta yayeyamana*が生息している。そして第一章でも触れたが、私がゴキブリに興味をもちはじめたきっかけが、この西表島で出会ったヒメマルゴキブリだ。

二〇二〇年、私はゴキブリの図鑑作成を始めていた。日本産のゴキブリ図鑑は、一九九一年に朝比奈正二郎博士が出版した『日本産ゴキブリ類』や、日本直翅類学会編の『日本産直翅類標準図鑑』があるが、どちらも価格が高めの専門書である。さらに『日本産ゴキブリ類』は絶版になってしまいプレミア価格がついている状態で、とても簡単に入手できるものではない。また、分布や出版以降に記載された種などの情報も更新が必要と思われた。「一般向けで値段が安く、そして情報も最新の図鑑がつくれないものか」と思っていた矢先、文一総合出版の編集者さんからお声がけいただき、『ゴキブリハンドブック』の作成を進めることになった。『ゴキブリハンドブック』では日本産全種掲載を目標とし、さらに成虫はオス・メス両方、幼虫、卵鞘と、写真も網羅的に掲載しようという話になった。しかし当然ながら、そんなにたくさんの写真は持っていない。そこで日本各地を回り、ゴキブリを採集、撮影することにした。

二〇二一年五月。各種ゴキブリを目的に、私は西表島を再び訪れることになった。

ただいま西表島

飛行機から島の外観が見えてくると、長い飛行機旅の疲れも吹っ飛び、眼が冴える。島にある青々とした森林。あそこにはどんなゴキブリがいるのだろうか、今回はどんなゴキブリに出会えるだろうか。ワクワクが止まらない。

西表島に行くには、まずは同じ八重山列島の石垣島に降り立ち、そこからフェリーに乗る。飛行機を降りたら汗がにじむくらいの高い気温に驚いた。時期は五月。私の住む静岡もだいぶ暖かくなってきていたが、その比ではない。着ていた上着を脱ぎつつ早足で進んだ。

空港の回転台の前で観光客に混じって、預けていた荷物が流れてくるのを待つ。カラフルなスーツケースが流れていくなか、場違い感あふれる小汚い登山バッグが流れてきた。私の荷物である。素早く担いでそそくさとロビーに出る。人がたくさんいるところは苦手なので、隅のほうにある備えつけの椅子に座った。それから少しすると、人ごみのなかから作業服に大きな荷物、明らかに魚とり網と思われるものを持った人物を見つけた。私が荷物を持って立ち上がり、「おーい」と手を振りながら声をかけると、向こうも気づいたようでこちらに近づいてきた。

今回一緒に採集を行なう大北祥太朗くんと合流である。大北くんは私よりもかなり身長が高く、全体的にがっしりとした強そうな人で、興味の対象は広く、主に魚やキセルガイというカタツムリ、ゴキブリが好きだという。私よりも年上に見える風体だが、実際は私の一つ下である。

彼と初めて会ったのは、私の職場である昆虫館だ。そのときはちょうど、ゴキブリ展を行なっており、大北くんは展示を見にきてくれていた。以来、魚やゴキブリの採集に一緒に行くようになったのだ。

「やっぱりこっちは暑いっすね」

そう言って大北くんは荷物を置いた。

「南国って感じがしていいよね。それ、タモ?」

私が聞くと、大北くんは「そうです」と答えた。

「ゴキブリ以外にも後輩から頼まれごとがあるんで、荷物が多くなりました」

生き物好きは、友人が離島に採集しにいくと聞くと、いろいろと頼みごとをすることが多い。私もよく「これを採ってきて」と言われることが多いのだが、これがなかなかに難しい注文なことも多く、自分の採集とは関係ない道具まで持っていかなくてはいけなくなることも多々ある。大北くんは今回、魚を頼まれたようだった。

「どんな魚採るの？」「静磨さん、逆に荷物少なすぎないですか」などと話をした後、二人して空港の前にいたタクシーに乗り込む。天気はよく、日射しが強烈だ。フェリー乗り場は空港から離れているので、まずはそこまで向かうことにした。道中、青空と鮮やかな緑の間をオオゴマダラやスジグロカバマダラなどの熱帯のチョウが舞っているのを見て、あぁはやく虫採りがしたい！　という気持ちがあふれてくる。大北くんと、この気温ならゴキブリもかなり動いていそうだね、なんて話をしながら、はやる気持ちを抑えつつ進んだ。

フェリー乗り場に着くと、西表島行きの乗船券をそれぞれ買い、船に乗り込む（図2-4-1）。乗船時間は長くないが、体力温存も兼ねて、座った後は寝ることにした。

ふと気づくと、フェリーは西表島に到着したようで、他の乗客たちが下りる準備をしている。私たちも荷物を持ち、いよいよ西表島に降り立った。すーっと息を吸い込むと、「あぁ、今、私はイリオモテヤマネコと同じ空気を吸っている！」と謎の感動があふれてくる。

図2-4-1　石垣島までは飛行機、そこから西表島へはフェリーで向かう

大荷物を抱えて大変そうな大北くんとともにフェリーを降りて少し歩くと、レンタカー屋さんの名前が書かれたカードを持っている方を見つけた。

「あの、予約した大北です」

大北くんがそう声をかけると、「お待ちしておりました。こちらにどうぞ～」と誘導された。今回、宿とレンタカーは大北くんが確保してくれたので、私はただついていくだけだ。

免許証を提示し、ヤマネコがいるから島内は四〇キロ以上出しちゃだめだよという説明を受けた後、荷物を積み込んでレンタカーに乗り込む。大荷物では採集に行くのに小回りが利かないので、必要なもの（食料や飲み物、虫を入れる容器など）の買い出

図2-4-2　西表島の森林

しをしつつ、一度荷物を置くために宿に向かう。島で採集する方のなかにはキャンプ場などに泊まったり、車中泊をしたり（レンタカー屋さんや島によっては禁止のこともある）という方もいるようだが、私の場合は夜に飲むお酒も好きだったりするので、毎回宿をとっている。

宿につくと急いで、採集に不要な荷物を置き、ゴキブリを入れるケースやライトを用意する。準備ができたら、早速ポイントへ（図2-4-2）。メインの採集時間は夜だが、昼でも探せば見つかる種類がいる。また、西表島にはゴキブリ以外にもさまざまな生き物がいる。生き物好きに「本番は夜だから体力を温存しよう」などという賢い真似などできるはずもなく、「ここで終わってもいい。すべての命を使い切ってでも、たくさんの生き物に出会いたいんじゃ、ぐへへへ」といった具合に、離島での生き物採集にすべてをかけているので、夜まで待つことができるわけがないのだ。

西表島では、入林に森林管理事務所から交付された許可証が必要であり、私たちもしっかりと見やすい場所に許可証をつけ、フィールドに繰り出した。昼は洞窟周辺に生息する生き物の観察を目的に行動を開始した。下調べでここに洞窟があるという場所を確認していたものの、いざ探してみても見つからず。売店にいた地元の方に聞いてみると、知り合いに電話してくださり、来てくれたおじさんにわざわざ案内していただけることとなった。

おじさんについていくと、なんと私たちの探していた洞窟は、何の変哲もない道路わきの森の中にあり、奥へ続く入り口は五メートルほどの崖の下にあった。普通に探していたら見つからなかっただろう。

案内してくれた方にお礼を告げて別れる。その後、崖の下にアクセスできる場所がどこかないかと探すも、見つからない。本来ならロープがあれば安心なのだが、見た感じ、慎重に下りれば安全に下まで行けそうである。仕方なく崖を下りることにした。私が先導し、本州では見ないような謎の太いツル植物を掴み、宙ぶらりんになりながら下降していく。半分くらい下りたところで、手を放して着地。どうにか生きて下りることができた。

図2-4-3　西表島の洞窟

洞窟（図2-4-3）の入り口周辺は湿っていることが多く、さまざまな生き物が見つかるスポットだ。下りてすぐに生き物を探しはじめる。大北くんも続いてきたが、途中「痛った！」と声が聞こえた。落ちたのかもしれないが、虫探しを続ける。

地面を這うようにしつつ、石の下を覗いたり落ち葉をどけたりすると、多くの生き物たちが目に入ってくる。タイワンサソリモドキにノコバゼムカデ、ダンゴムシの仲間も見つかった。写真に収めつつ、ゴキブリを探す。ゴキブリは日中、木にぶら下がった状態の枯れ葉や落ち葉の下、枯れた木の樹皮の裏などに隠れている。落ち葉をかき分けていると、ちょろちょろっと素早く逃げる姿を見つけた。慌ててフィルムケースを被せてみると、フタテンコバネゴキブリ*Lobopterella dimidiatipes*だ。南西諸島には広く分布するゴキブリで、市街地の公園などでも容易に見つかる。今度は石をどけてみるとオガサワラゴキブリ*Pycnoscelus surinamensis*が見つかった。「お！　フタテンコバネ！」「オガサワラもいた」と興奮していると、大北くんも採集を始めており、「ホラアナいないかなぁ〜」と、あたりを探している。その後も次々と南西諸島のゴキブリたちを見つけ、夢中になっていると、気づけば時刻は十七時。幸せな時間は過ぎてしまうのが早い。ここで夜に備えて買い出しに向かうことにした。

謎のゴキブリ現る

スーパーや魚屋さんに寄ってお刺身を買い、一度宿に戻る。沖縄のスーパーには本土で見ないような魚の刺身が売られており、毎回どんな魚を食べられるか楽しみにしている。ただ、今回は変わったものがなかったので、近海で獲れたというマグロにした。

普段よりもちょっと早いくらいの時間に夕食をとりつつ、夜はどこに行こうかと二人で話し合う。西表島にはサキシマハブというヘビがおり、あまり奥まで入っていくと噛まれてしまう可能性もあり危険だ。そのため、夜間は道路わきにある木々を見て回るような採集を行なうことにする。夕飯を食べ終わり、あたりが暗くなる前に持っていく道具の確認と準備を始めた。特にライトは重要だ。街灯のない真っ暗な場所で電池が切れてしまって大変なことにならない

図2-4-4　葉の上で見つけたコマダラゴキブリ

よう、予備の電池もしっかりと持った。

太陽が沈み、空が深い紺色になってきたころ、ドキドキワクワクの夜戦が始まる。

まずは、以前に大北くんが変わったカメムシを見つけたという場所に行くことになり、車を走らせる。途中、イリオモテヤマネコが道路に飛び出してこないかハラハラワクワクしながら、身を乗り出して進む先の道路に注目していたが、お目にかかることはできなかった。

到着して装備を整えて、いざ採集を始める。近くにある木をライトで照らしながら一本一本丁寧に見ていくという採集方法だ。

探しはじめてすぐに、樹幹にヒメマルゴキブリを見つけた。他にもさまざまなゴキブリが活動しはじめているようだ。近くに

図2-4-5　交尾していたオオモリゴキブリ

ある小さな木からはコマダラゴキブリ*Rhabdoblatta formosana*（図2-4-4）が飛翔し、地面にはヤエヤマキスジゴキブリ*Centrocolumna yayeyamana*やスズキゴキブリ*Periplaneta suzukii*が走っている。葉の上ではオオモリゴキブリ*Centrocolumna gigas gigas*が交尾しているではないか（図2-4-5）。あぁここは天国か！　そう感じながら、採集を続けた。

夜間の採集を始めて二時間ほどしたころ、根元近くに大きな洞《うろ》がある木を照らしていた大北くんが声を上げた。

「え！　なんかデカいのがいる！」

どうやら捕まえる前に洞の中に逃げられてしまった模様。私も見てみると、なんとなくのシルエットだけは見えるが、全体は見えない。種類もはっきりとは判別できない状態だ。

「ヤエヤママダラじゃないの？」

そういうと、大北くんは「うーん、卵鞘持ってたように見えたんだよなぁ」という。ヤエヤママダラゴキブリは日本最大のゴキブリで、西表島でも多く見られる。昼は木の洞などに潜んでいて、夜になると出てくるため、状況的にはその可能性が高いと考えられた。ただ、ヤエヤママダラゴキブリは卵鞘（多数の卵を鞘状の殻に包んだもの）を腹部に長い期間つけたままにすることはなく、すぐに腹部に引き込んで、腹部で孵化させた後に幼虫として体外に産下する（卵胎生という。詳しくは53ページ参照）。また、卵鞘自体も細長い。大北くん曰く、ヤエヤママダラゴキブリの卵鞘とは違うように見えたという。

結局、その個体を捕まえることはできず、気になりつつも歩きはじめることにした。すると少し行ったところで、道沿いの木に巨大なゴキブリがとまっているのを見つけた。

「あ！　デカいのがいる！」

つい声が出てしまった。全長五センチはありそうなゴキブリで、ぱっと見ではあるが、日本で今までに確認されているゴキブリのどの種でもないように見える。さっきのゴキブリと同じ種類か、と瞬時に思った。

西表島には、ウルシゴキブリ*Periplaneta japanna*という、全身真っ黒なゴキブリがいる。木に

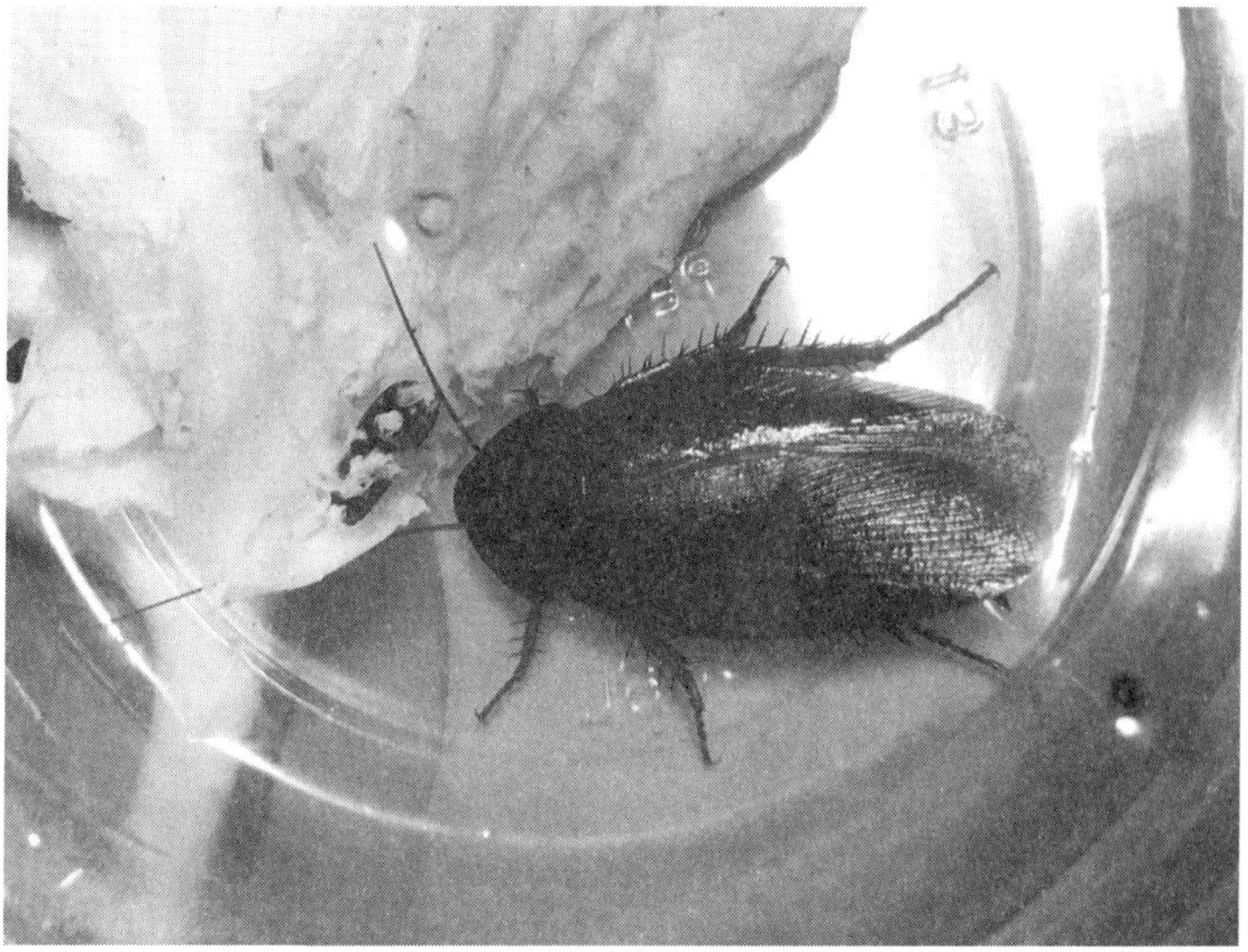

図2-4-6　謎のゴキブリを発見。どうにか採集

張りついていた大きなゴキブリはウルシゴキブリに似ていたが、明らかに大きさが違う。逃げられないように慎重に近づき、手づかみで捕獲！　見事捕まえることができた。

　ケースに入れて観察してみると、この個体はメスだとわかった（図2-4-6）。大きさだけでなく、翅が腹部の先端よりもかなり長いのも特徴的だ。間近で見ると、やはりウルシゴキブリとは違うように見える。

「これ、これやばいぞ！」

「うわぁぁぁデカい！　これ絶対ウルシじゃないでしょ！」

　二人して真っ暗な森の中、ゴキブリを囲んで歓喜の声を上げた。興奮どころの話ではない。「血湧き肉躍るとはこういうことか！」というくらいに、全身が感動している。こんなゴキブリに出会えるなんて、ハブに噛まれてもお釣りがくる！　そう思うくらい最高の気分だった。

西表島の近くにある台湾には、*Periplaneta banksi*（ペリプラネタ　バンクシ）という大きなゴキブリが生息している。そのバンクシが西表島にもいたのか？　それともまた別のゴキブリ？　とさまざまな考えが頭を巡った。その後、オスの個体も採集できたが、やはりウルシゴキブリとは明らかに違い、二人とも興奮が止まらなかった。

見ている世界は同じ？

西表島から帰ってきて、ある日、昆虫館で仕事をしていると、お客さんから「展示されている虫は、採ってきているんですか？」と質問を受けた。

「すべてではないですが、そういう虫もいますね」

そう答えると、今度は「どんなところに行くんですか？」と返ってきた。

「展示ではないですが、この前は西表島に行ってきましたよ」

「私も行ったことあります！　いいところですよね！」

そんな感じで話をしていると、「あの砂浜、行きましたか？」や「あそこから見える景色いいですよね」と、なにやら私の知らない西表島の話に。ほとんどの会話についていけない。スマホで地図で見せてもらうと、「あぁ、前に行ったときに、オガサワラゴキブリがたくさんいたところだ！」と合点した。

「昼に行くと、いい景色なのですね」

そう言うと、お客さんから「普通は昼に行くんですよ」と言われてしまった。これは急所を突かれた。

どうやら、同じ場所に行っているはずなのに、見えている風景は違ったようだ。ゴキブリを中心にして見えている西表島もとてもおもしろかったが、今度は観光で訪れるのもいいかもしれない。ただ、西表島の素敵ゴキブリたちを前に、正気を保ったまま観光を満喫できる自信は、私にはまったくないが……。

アジアの至宝と謎のゴキブリの正体

ゴキブリを追い求めはじめて、あっという間に三年が経過した。この間、国内のさまざまな場所を訪れ、ゴキブリを探しまわっていた。ゴキブリを採集してまわっている人というのは虫好きのなかでもかなり少なく、それゆえに続々と新たな発見があった。なかでも、二〇二〇年にゴキブリの新種を発表したのはうれしい出来事だった。八重山列島与那国島から一種、宇治群島家島、トカラ列島悪石島、奄美群島奄美大島、徳之島から一種の合計二種を見つけ、法政

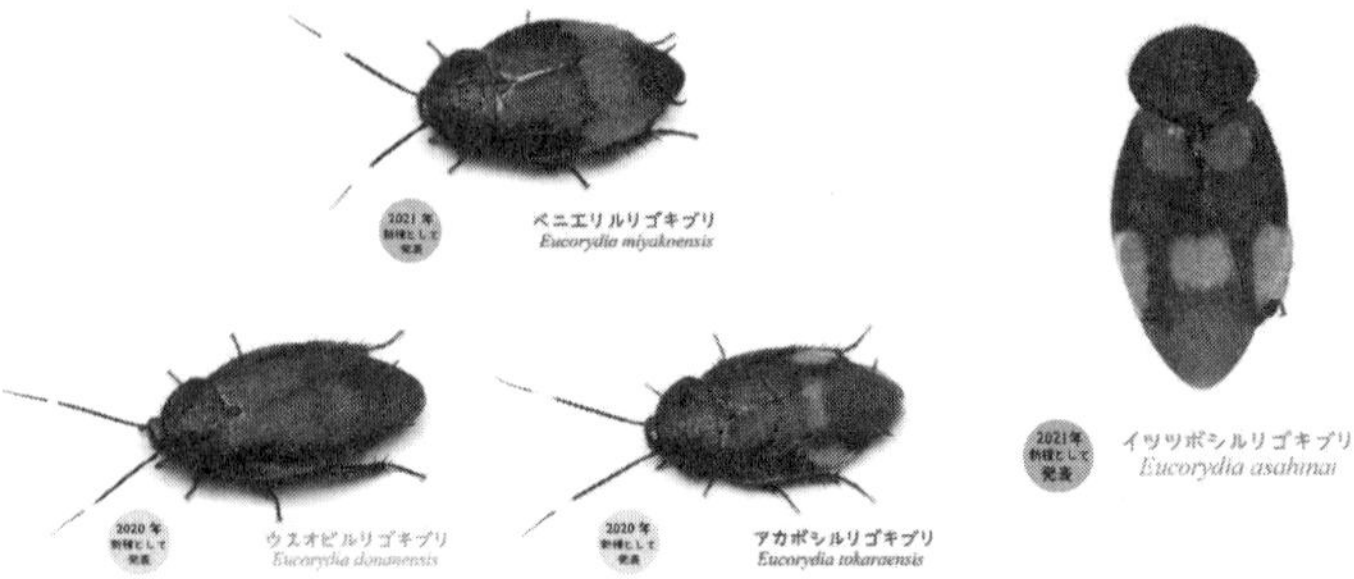

図2-4-7　私たちが記載したゴキブリ

大学の島野智之先生、鹿児島大学の坂巻祥孝先生、国立科学博物館の蛭田眞平先生、台湾大学のJhih-Rong Liao先生のお力を借りてどうにか論文を書き（Yanagisawa *et al.* 2020）、それぞれウスオビルリゴキブリ*Eucorydia donanensis*（八重山列島与那国島）、アカボシルリゴキブリ*Eucorydia tokaraensis*（宇治群島家島、トカラ列島悪石島、奄美群島奄美大島、徳之島）と名づけた。これは日本産ゴキブリにおける三五年ぶりの新種記載となり、多くのメディアに取り上げられた。またその後、続いて宮古島からベニエリルリゴキブリ*Eucorydia miyakoensis*、国立感染症研究所に所蔵されていたタイのチェンマイ産標本からイツツボシルリゴキブリ*Eucorydia asahinai*を記載した（Yanagisawa *et al.* 2021b, 2021c）（図2-4-7）。

　昆虫の新種記載は、決して珍しいことではない。毎年多くの種が記載され、多様性解明が進んでいる。そのなかで今回の新種たちが大きく取り上げられ、多くの方の

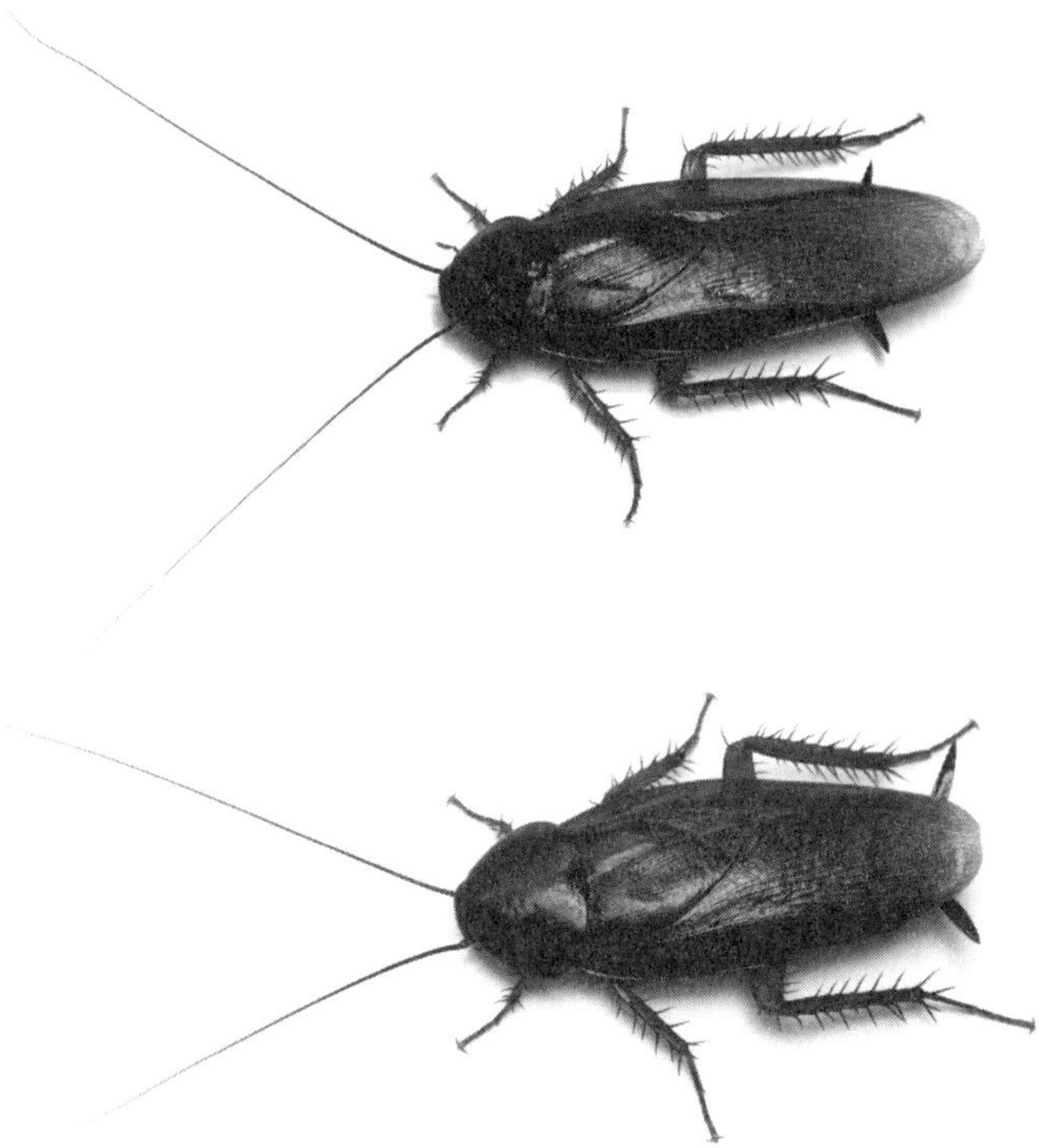

図2-4-8　西表島で見つけた謎のゴキブリは、共著者と相談のうえ、アカズミゴキブリ *Periplaneta kijimuna*と命名した

目にとまったのは、やはりゴキブリという、皆が知っていてどこか気になる生き物だったからではないかと思った。

西表島で採集した「大きなゴキブリ」も、その後、未記載種だとわかり、アカズミゴキブリ*Periplaneta kijimuna*という名前をつけ、二〇二一年十二月に発表した（Yanagisawa *et al.* 2021a）（図2-4-8）。学名のkijimunaは、沖縄に伝わる木の精霊キジムナーから命名したものだ。木に住み、赤色の髪をもつというキジムナーと、樹上で見つかり、前胸に赤い斑点をもつ新種ゴキブリの特徴からそう命名した。

ルリゴキブリの新種同様、こちらも大きな話題になるのではと思っていたが、蓋を開けてみると、取材自体が数件しかないというオチだった。それでも取材にきてくれた新聞記者の方曰く、「今回の新種は見た目がだいぶゴキブリですね。ルリゴキブリのときに比べると、写真掲載とか上からストップされそうなので、取材も少ないのだと思います」とのことだった。何とも塩梅が難しい……。「とてもカッコいい種だと思うのですが」と言ったら「さすがゴキブリストですね」と言われてしまった。

ワクワクしていただけに残念ではあるが、素敵な種を記載できたことに変わりはない。まだまだ人間に見つかっていない生き物がいるのだとあらためて実感し、これから見つかるかもしれない魅力的なゴキブリたちに胸が高鳴った。

ゴキブリは嫌われているがゆえに気になってしまう。虫が好きな人だけでなく、興味のない人や嫌いな人にも、ゴキブリを通してなら、昆虫の魅力やおもしろさを届けることができるかもしれない。

私はゴキブリの魅力にさらにのめり込んでいった。

幻のミヤコモリゴキブリ

洞窟に潜む幻

幻とはいい言葉である。「幻の〜」と聞いただけで、興味を引くし、ロマンを感じずにはいられない。幻の酒、幻の花、幻のポケ◯ン、幻の……。

日本産のゴキブリにも、まさに幻と呼んでいい種が何種かいる。そのなかの一つが、ミヤコモリゴキブリ *Symploce miyakoensis* だ。本種は宮古列島宮古島と多良間島で見つかっているゴキブリだが、発見数が非常に少なく、オス個体にいたっては未発見というレベルだ。標本すら目にすることは難しい。

私はこのミヤコモリゴキブリに出会いたくて、二〇一九年六月に宮古島を訪れた。宮古島はサトウキビ畑が広がり、森林は非常に少ない島だ。飛行機から見る景色もほとんどが農地である（図2-5-1）。

洞窟で見つかっているという情報から、宮古島内にある洞窟を調べ、可能性の高そうな場所をリストアップし、片っ端からあたってみる作戦だ。

宮古島に到着し、早速探索を開始する。今回は専門学校時代の友人たち四人とともに行動する。半ば付き合わせてしまうかたちだが、みんな生き物が好きなので、楽しみつつさまざまな

図2-5-1　飛行機から見た宮古島

洞窟をまわった。しかし、どの洞窟でもワモンゴキブリは見つかるものの、ミヤコモリゴキブリらしい影は見つけられず、探索は難航した。

数年前にミヤコモリゴキブリが見つかったという場所にも行ったが、結果は惨敗だった。目星をつけていた洞窟はほとんど巡ってしまったのだが、一つだけ、名前はわかっているものの、どこにあるかわからない洞窟があった。さすがに場所もわからないとなると探索はできないだろうと諦めていたが、わからないのであれば詳しい方に聞けばいい。私たちは宮古島市総合博物館に行き、情報がないか聞いてみることにした。

受付にいる方に声をかけ、洞窟についての

聞きたいことがあると概要をお話しした。すると奥のほうから何名かの職員さんを連れてきてくれた。洞窟を探しているという旨とともに、洞窟名も伝えたが、正確な場所はわからないという。それでも地図を見せてくれながら、「おそらくここら辺にあるのでは」と、だいたいの場所を絞ってもらうことができた。Googleマップで該当の場所を確認すると、いくつかの小さい森があるのがわかる。宮古島は開発が進み、住宅やサトウキビ畑が広がる島だが、洞窟があるような場所は開発がしにくいので、そこだけ木々が残る。だいたいの位置を絞ることができれば、その近くの森の中を探せば見つかるかもしれない。

マップをじっと見つめ、「たぶん、ここだ」という森に目星をつけた。周辺にある小さな森のなかでも、ひときわ深く大きな森。ここだ。きっとここにある。

宮古島市総合博物館の皆さんにお礼を言い、館を出た。

洞窟を探せ！

夜になってしまったが、目的の森に到着した。途中、私たちは二手に分かれたため、洞窟を探すのは、私と友人一名の合計二名である。見つかるかもわからない、ゴキブリがいるかもわからない、洞窟があるかもわからない森についてきてくれたことには感謝しかない。

ヘッドライトを装着し、洞窟があると思われる森の中に入っていく。道路から入ると、森の中は谷状になっており、鋭い石灰岩がゴロゴロしていた。軽く転んだだけでも大ケガに繋がるだろう。慎重に進まなくてはいけない。

植物が行く手を阻むが、押しのけて進む。クワズイモやツタ状の植物が厄介だ。なかにはトゲがあるものもあり、服や肌に引っかかって痛い。それでも幻を求めて進む。これまで探索してきた洞窟は観光で入ることもでき、整備されている場所が多かった。洞窟内に生息する生き物は環境の変化でいなくなってしまうこともある。こんな森の中にある洞窟であれば、人による環境改変の影響は少ないかもしれない。

ここにはきっと、いい洞窟がある。

そんな望みをもちながら、どこにあるかもわからない洞窟を探してさまよう。

しかし、なかなか見つからない。歩けど歩けど、洞窟なんてどこにもないのだ。暗いので見過ごさないように丁寧に探しているつもりだが、石灰岩の隙間はあれど、洞窟と呼べそうなものは見当たらない。まさか、人がギリギリ入れるような隙間を通っていくような洞窟なのだろうか。だとすると、大した装備も持っていない状態で入るのは危険だし、そもそも見つけることができないだろう。

道なき道を進みながら考えていると、どんどんと悪い方向に考えを進めてしまう。友人と声を出し合いながら精神的に参らないように探索を続ける。体力と精神、どちらかが底をついてしまったら終了だ。

その後、二時間ほど必死に探し回ったが、結局、目的の洞窟を見つけることはできなかった。これ以上、洞窟探索に時間を割くのは得策ではないだろう。洞窟を見つけて終了であればいいが、真の目的はその先にある。洞窟を見つけ、そこでミヤコモリゴキブリを見つけてようやく成功なのだ。

体力的にも精神的にもだいぶ限界が来ていたので、他の友人たちと合流し、別の生き物を探そうということになった。森から出て車に戻っていく。コンクリート道路のなんと歩きやすいことか。体は疲れ切っているが、どうにか足を運んだ。

車が見えてきたところで、右手に小さな藪が目に入った。サトウキビ畑のわきに、小学校の教室ほどの草木が不自然に生い茂った場所がある。

もしや。そう思って確認すると、茂みの中に、斜め下に続く荒廃した洞窟を見つけた。間違いない。これだ!

入り口は狭く、斜面になっているので装備を整え、いらない荷物は入り口に置いて中に入る。ズリズリと半分落ちていきながら奥へと入ると、平坦な場所に出た。天井の低い空間が広がっており、下には石灰岩がたくさん転がっている。奥まで行くとかなり広そうだが、途中からぬかるんでいるため、進むのはやめておくことにした。探索できそうなのは十二畳くらいの面積だ。

明らかに、近年は人が入っていないだろう。湿度も高く、ゴキブリの生息には適しているように感じる。

ちなみに余談ではあるが、私は洞窟に入る際、いつもライトを二つ以上持っていくことにしている。一つしか持っていかずに中で電池が切れたら、最悪の場合、出ることができなくなってしまう。もともと狭いところが苦手な人間なので、「脱出できなくなったら」と考えるだけで不安だ。入洞する際は、皆さん気をつけてほしい。ロープやヘルメットも必要だ。また、複数人（できれば熟練者）と入洞することをおすすめする。

友人も降りてきたところで、探索を開始する。入り口の近くには上から落ち葉や枝が入り込んできており、ゴキブリが隠れるのにちょうどいい状態になっている。落ち葉を少しずつどけていくと、トビムシやヤイトムシの仲間がチョロチョロと出てきた。近くでは宮古島固有のミヤコジマトタテグモも見つかった。これまで見てきた洞窟では、これらの生き物は見つからなかった。これだけ多くの生き物がいれば、ミヤコモリゴキブリがいてもおかしくない。

足元に気をつけながら、ゴキブリがいないか探す。ミヤコモリゴキブリは琥珀《こはく》色の美しいゴキブリだ。写真でしか見たことがないのでサイズ感はわからない（体長は記されているが、実際に見たときの感覚としての大きさは、実物を見ない限りわからない）。どんな大きさのゴキブリでも見逃さないよう、目を凝らして探す。

宮古島にはもう一種、ミヤコホラアナゴキブリ*Noctícola uenoi miyakoensis*というゴキブリが生息している。こちらもミヤコモリゴキブリ同様、幻といってもいいゴキブリだ。洞窟や森林内の石の下などで見つかる。この洞窟にいてもおかしくない。本種は体長が五ミリメートルほどとかなり小さいので、地面に這いつくばるようにして二種のゴキブリを探す。

入り口から入り込んだ落ち葉や朽木をどけると、何度もヤイトムシの仲間やクモの仲間が現れる。その度に「ゴキブリか⁉」と驚き、肩を落とすことを繰り返した。

一時間ほど探索したが、見つけることは叶わなかった。洞窟内は決して広くないため、これ以上の探索は意味がないと判断し、翌日訪れることにして洞窟を出た。

翌日も探索は行なったものの、結局ミヤコモリゴキブリの姿を拝むことはできなかった。幻は幻のままなのだろうか。

リベンジ、宮古島

二〇一九年十一月。私はまたも宮古島を訪れていた。今回はゴキブリ好きの友人二名と一緒にゴキブリ探しである。

宮古島で見つけることができるゴキブリ全般が目的だったが、一番の目的はやはりミヤコモリゴキブリである。幻のゴキブリを見つけようと、ゴキブリ好き三人が決起した。それぞれがゴキブリの採集には慣れている。三人もいれば見つけることができるのではと期待して探索を開始した。

件の洞窟に二人を連れていき、ともに探索を始める。しかし、やはりそう簡単には見つからない。

三〇分ほど探索したころだろうか。友人の一人が石の下から、ミヤコモリゴキブリの死骸を見つけたのだ。それから少しして、私も死骸を見つけた。

ここに、いる。

生きた個体は残念ながら見つけられないままだったが、やはりここにはいる。そう確信できた探索だった。

大北くんの功績

二〇二一年、西表島でアカズミゴキブリを一緒に採集（77ページ参照）した大北くんは、波照間島、石垣島でゴキブリ採集を続け、さらにそこから宮古島にも寄っていた。本当ならば私も一緒に回りたいところだったが、昆虫館を長く空けるわけにはいかないため、先に本土に戻った。

後日、採集の疲れを押しのけながら、昆虫館で飼育作業を行なう。五日ほどの留守ではあるが、昆虫にとっては長い期間だ。同僚に飼育をお願いしているので大きな問題はないが、細かな調整は必要になる。朝から飼育作業を続け、休憩中にスマホを確認したところ、宮古島にいる大北くんから、マルバネゴキブリ*Hebardina yayeyamana*やミヤコモリゴキブリのポイントを教えて、と連絡が来ていた。マルバネゴキブリは多くいる場所を教え、ミヤコモリゴキブリについては以前見つけた洞窟を教えた。彼にもここでは死骸を見つけているという話をしていたので、張り切って探索に向かったようだった。

彼は生き物を探す能力が非常に優れている。私も生き物探しに一定の自信はあるが、彼には負けるだろう。先日の西表島でも、私が見たはずの場所から多くの虫を見つけていたし、もしかしたら……と期待する。

昆虫館の仕事が終わって、自宅への帰路の途中で、大北くんから連絡があった。何かと思って見てみると、一枚の写真が送られてきている。そこにはなんと、モリゴキブリ属の幼虫の姿があった。

「えええ！」とスマホを握りしめて叫んでしまった。そうこうしているうちに大北くんから電話がかかってきたのですぐに出た。詳細を聞くと、石の下から出てきたという。やはりあそこにい

図2-5-2　大北くんから送ってもらったミヤコモリゴキブリの幼虫を撮影

たのか、というられしさと、自分が見つけたポイントで先に見つけられたという悔しさが混じる。

大北くんはまだ探索を続けるようで、「私の分も」と伝えた。残念ながら追加は得られなかったが、後日、得られた唯一の個体を送ってくれた（図2-5-2）。工夫しながらしばらく飼育したところ、羽化させることに成功。予想通りミヤコモリゴキブリであった。

悔しい面もあるが、彼のおかげで、作成を始めていた『ゴキブリハンドブック』に「幻のゴキブリ」ミヤコモリゴキブリの生態写真を掲載することができた。

三度目のリベンジ

数年後の夏。宮古島で調査をする機会が巡ってきた。ミヤコモリゴキブリがメインではなく、他の昆虫を対象にした調査だが、空いた時間は自由に生き物探索ができる。無論、ミヤコモリゴキブリを探す予定だ。

大北くんのおかげでミヤコモリゴキブリにお目にかかることができたわけだが、やはり自分の力で見つけたい。幻は自分の手で見つけてこそだ。

調査の合間に、わがままを言って、共同調査してくださっている方々に車を出していただき、件の洞窟へ向かう。

洞窟の入り口は滑りやすくなっており、気をつけながら、ゆっくりと洞窟内に侵入する。中は相変わらずの環境で、野外に比べていくらか涼しい。しかし湿度が高いので、早くも汗がにじみはじめた。

共同調査の方も一名ついてきてくれた。暗く狭い場所で単独調査は不安なのでありがたい。

「こんなところ、よく見つけましたね」

洞窟に降りた同行者の方が感心したようにそう言った。

「最初はどこにあるかわからなかったので大変でした。前に来たときに死骸を見ていますし、僕の友人が生きた個体も採集しているので、生息はしているはずです」

今度こそは、という想いを抱えながら、ミヤコモリゴキブリを探しはじめる。「洞窟のすきまやくぼみに琥珀色のゴキブリが鎮座している」というイメージはできている。夢にも見た光景だ。今日こそ、それを実際に見たい。

洞窟内の探索をしていく。今回の調査は数日に及ぶため、ここにも何度か寄れるだろう。ただ、これまで幾度となく挑んでは敗れてきた。血眼になって探す。

しかし残酷にも、ミヤコモリゴキブリは姿を現さなかった。時間も多くはとれないため、そろそろ引き上げようかと一息ついた。歩き出して、ふと少し先の地面にライトをあてる。

そこになんと、琥珀色のゴキブリがいた。

「いた！」

洞窟のすきまでも、壁でもなく、普通に地面を歩いているではないか。

即座に片膝をつき、ゴキブリが逃げないよう手で退路を塞ぐ。この体色に、腹部末端に届かない短い翅。間違いない。ミヤコモリゴキブリだ。しかも成虫である。

ゴキブリは危険を感じたのか走って逃げようとするが、動きはそこまで早くない。持っていたケースに誘導する。せっかく見つけた個体だ。傷つけることなく捕獲したい。

慎重に、触角や肢を挟まないよう、ゆっくり、自分からケースに入るよう刺激する。念願のゴキブリを前に手が震える。それでもできる限り震えを抑えて、無事に捕獲することに成功し

図2-5-3　念願のミヤコモリゴキブリ。洞窟を出てから安全なところで撮影した

た。

　ついに幻のゴキブリを手中に収めたのだ。

「採った……！」

「やりましたね！」

　ついてきてくれた方が、声をかけてくれた。

「すごいですね。これがミヤコモリゴキブリですか」

「そうです。たまたま移動していたら、普通にここを歩いていました」

　見てみると、採集した個体はメスのようだ。三度目のチャレンジにして、ようやく見つけたミヤコモリゴキブリ。洞窟を出てから撮影を行なった（図2-5-3）。カメラを持つ手が震えたのはいうまでもない。

　その後、本来の目的である調査も無事終

図2-5-4　帰宅してから白バックでも撮影した。何度この姿を見たいと願ったことか

図2-5-5　ミヤコモリゴキブリの卵鞘（スケールバーは五ミリメートル）

了し、ミヤコモリゴキブリについては死んでしまわないように丁寧にケースに入れて持ち帰った。

持ち帰ったミヤコモリゴキブリは自宅で数か月飼育することができ、白バック写真を撮影することができた（図2-5-4）。また、孵化はしなかったが、卵鞘を見ることができた（図2-5-5）。ミヤコモリゴキブリの卵鞘は誰も見たことがない可能性がある。初めて目にしたときはそれは感動した。

個体は標本にして保管し、現在行なっている研究に供する予定だ。

※洞窟は私有地にあることも多い。入洞の際は、許可を得るなどして、トラブルを避けるように注意してほしい（今回は、自治体に連絡し、許可を得た）。

番外編② 薬になるゴキブリ「䗪虫」を探して

薬になるゴキブリ

ゴキブリは漢方として利用されることもある。「䗪虫《しゃちゅう》」と呼ばれる漢方で、『原色和漢薬図鑑（下）』（難波、一九八〇）によると、利用されるのはシナゴキブリ*Eupolyphaga sinensis*（土鼈虫）、サツマゴキブリ*Opisthoplatia orientalis*（東方后片蠊）、プランキーサバクゴキブリ*Polyphaga plancyi*（冀地鼈）の三種類。どの種類も、メス個体のみを使用するようだ。駆於血《くおけつ》や血行促進の効果があるとされており、他の漢方と混ぜ合わせて処方するのが一般的だ。

私はゴキブリに興味をもちはじめてから、ゴキブリそのものだけでなく、ゴキブリを取り巻く環境や他種との食う食われるの関わり、人間との関わり、文化などにも興味をもった。なかでもこの「漢方として利用されるゴキブリ」には強い興味があった。一般的には嫌われ者のゴキブリを、薬として口に入れるのである。初めて知ったときは、昔ならそんなこともしたのだろうと軽く考えていたが、䗪虫は今でも服用されているというではないか。これはゴキブリストとしては見逃せない。一度実物を見て、詳しく観察したいと思った。

横浜は中華街へ

䗪虫をどこかで入手できないか探してみたが、見つからない。䗪虫の存在を知ったきっかけである『わっ、ゴキブリだ！』（盛口、二〇〇五）を読み直してみると、横浜の中華街で見つけたと書いてある。中華街。子どものころ、両親にたまに連れていってもらった記憶がある。調べてみると、中華街には何軒も漢方屋さんがあるようだ。ここに行けば、䗪虫に出会えるかもしれない。

私は東京の八王子市出身で、実家も変わらず八王子にある。帰省も兼ねて、中華街に行ってみることにした。

実家から中華街までは父親が運転してくれることになった。あんな車通り人通りが多いところを運転するのは心配で仕方なかったので助かる。妻と父親、母親の四人で中華街へ向かった。

ネットで調べると、複数の漢方屋さんがヒットした。これだけあれば、どこかにあるだろうと少し安堵した。まずは近いところから訪問する。

目当ての漢方屋さんに入って、䗪虫を探す。植物の乾燥ものや、元が何かわからない乾燥したものが瓶に入っている。店内を歩き回りながら見ていくが、そもそも虫の乾燥したものがないようだ。ここにはないな、と判断し店を出た。

次の店に向かう。今度は半分地下にあるような店だった。店先にあるショーケースに、ヤモリの漢方やムカデの漢方が飾られている。これは期待大！

ワクワクしながら店内に入ると、それはもうさまざまな漢方が並んでいる。目移りしてしまいそうになるが、目的は一つ。しかし、それらしきものは見当たらない。何周もしてみたが見いだせなかったため、店員さんに尋ねてみた。残念ながら在庫はないとのことだった。

その後も漢方屋さんを回るが、䗪虫は見つからないまま。いよいよ、最後の一軒となった。

店内に入って、一周。やはり見当たらない。これまでの探索から、自分で探しても見つからないだろうと思い、すぐに店員さんに尋ねることにした。

「すみません、ゴキブリの漢方ってありますか？」

「ゴキブリ？　ゴキブリは漢方にしないよ」

「えっと、漢方の名前だと䗪虫っていうらしいのですが」

「䗪虫ってゴキブリなの!?」

そう言い、店員さんは驚いた表情を見せた。どうやら、䗪虫がゴキブリだとは知らなかったようだ。

「そうなんです。ずっと探してるんですが、なかなかなくて」

「んー、前はあったけど……」

そう言って店員さんは店の角にある棚に向かい、物色しはじめた。ここにはマメハンミョウやヒルの乾燥品が並んでいる。

「今はないね。あまり売れなかった」

「あー、そうですか……」

「取り寄せならできるよ」

「本当ですか！」

店員さんは店の奥に行き、紙の束を持って戻ってきた。

「これ」

紙にはさまざまな漢方の名前と、内容量、値段が記されている。注文票のようだ。示された場所を見てみると、たしかに䗪虫の名前がある。

「粉のやつで百グラム四〇〇〇円」

結構な値段がするな……しかも粉か。粉では観察もできない。

「そのまんまのやつってないですかね？」

「そのままのはないね～。粉のほうが便利。煎じなくていい」

「んー、でもそのままがいいんですよね～」

「ごめんなさい。それはなさそう」

図Ⅱ-1　麻婆豆腐がよりからく感じた

「そうですか、わかりました。ありがとうございます」
店員さんにお礼を言い、店を出る。最後の店にもなかったが、存在に近づけた気がしていた。
結局、䗪虫は見つけられないまま、おいしい麻婆豆腐（図Ⅱ-1）を食べて帰った。

なければつくる

『原色和漢薬図鑑（下）』（難波、一九八〇）には、䗪虫の捕まえ方、飼い方から、䗪虫のつくり方まで丁寧に載っている。中華街での䗪虫探索を終え帰宅し、ふと思う。

「なければつくればいいのでは？」

ということで、難波（一九八〇）を参考に、䗪虫をつくってみることにした。

用意するもの（図Ⅱ-2）
・丹精に育て上げたサツマゴキブリ（メス）
・鍋

・水
・カセットコンロ
・マスク

図Ⅱ-2　材料と器具

必要なものは家庭にあるもので間に合う。しかし、鍋は専用のものを用意したほうがいいだろう。普段使っている鍋でゴキブリを茹でようものなら、同居人から非難を受ける可能性がある。無益な争いを避けるためにも、専用の鍋を使うべきだ。
私も同居人をもつ身として、ゴキブリ用の鍋を用意することにした。新しい鍋を買うのはもったいないので、自宅にあった汚い鍋をゴキブリ用にすることとした。

サツマゴキブリ（図Ⅱ-3）は、静岡県内で採集された系統を大事に飼育していた。メス個体も複数いたので、今回はこの個体たちを䗪虫にしようと思う。サツマゴキブリは近年各地で分布を広げている。東京にも移入しており、生息場所にはかなりの高密度でいることもある。飼育してみたいという方はぜひ探してみてほしい。ただ、その際は、逃がさぬよう気をつけていただければ幸いである。

図Ⅱ-3　サツマゴキブリ。䗪虫の原料となる。飼育個体のなかからメスだけを選んだ

さて、いよいよ調理に入る。

まずはマスクをつける。私はゴキブリアレルギーをもっている。冗談のようだが、本当の話だ。たくさんのゴキブリを飼育していたら、マダガスカルゴキブリの仲間のみ反応するようになり、粉塵を吸い込むことで鼻水が垂れ、触れることで接触部位にかゆみを生じるようになってしまった。マダガスカルゴキブリにしか反応しないのが救いで、飼育などはできるのでまだ問題はないが、気をつけないと他の種でも反応しはじめてしまいそうだ。ゴキブリを茹でている蒸気にアレルゲンが含まれているかはわからないが、念のためマスクを着用する。ゴキブリを多く飼育している人は、飼育の際などもマスクをつけることをお勧めする。

図Ⅱ-4　熱湯の中にサツマゴキブリを投入

防御態勢が整ったら、鍋に水を張り、コンロにかける。今回は同居人に配慮して、カセットコンロを用いて野外で行なうことにする。配慮配慮ばかりで難しい世の中だが、必要な配慮もある。見極めが重要だ。

水を張った鍋を火にかけ、沸騰するまで待つ。ぐつぐつと煮立ったら、ここにサツマゴキブリを投入（図Ⅱ-4）。かわいそうだが一瞬で動かなくなった（図Ⅱ-5）。二匹しか茹でなかったからか、においはほとんどしない。たくさんの個体を茹でたらどうなのだろうか。

しばらく煮てから取り出し、水気を切る。最後に天日干し（図Ⅱ-6）にして完成だ（図Ⅱ-7）。

つくるといっても、茹でて乾燥させるだ

図Ⅱ-5　しっかりと茹でる

図Ⅱ-6　乾燥させる

図Ⅱ-7　完成！ 手づくり䗪虫

けなので、難しいことはない。気をつけるべきことは三点ある。一つ目はしっかり茹でて殺虫すること。干している最中に生き返って逃げられてしまってはどうしようもない。二つ目は、干すときに網などを被せること。風で飛んでいってしまうことや鳥などに持っていかれてしまうことを避けられる。最後に、乾燥は個体がしっかりと軽くなるまで行なうこと。そうしないと保存中にカビが生えてしまう。

ついに完成した䗪虫をまじまじと見る。販売されているのもこんな感じなのだろうか。販売されているものが手元にないので比較できないが、このつくり方であれば同じようなものができるのではないかと思う。『原色和漢薬図鑑（下）』（難波、一九八〇）

には「十分乾燥し、体は小さく、よく肥えて紅褐色を呈し、腹中に泥土が少なく、軽くて破砕していないものを佳品とする」とある。今回つくった䗪虫はこれらを満たしているし、佳品といって差し支えないだろう（飼育していた個体なので、腹に泥土はない）。

薬になるゴキブリ、あらためておもしろい。本当に効果があるのだろうか。

展示などで活躍する日が来るまで、手づくり䗪虫は乾燥剤とともに保存袋に入れて、大事にしまっておくことにした。

手に入れた！　本物の䗪虫

少ししてから、アース製薬の方にネットで買えるところがあると教えていただいた。早速そのサイトを見てみると、探し求めていた「ゴキブリそのまま」の䗪虫が販売されているではないか！　これは見逃せないと、早速購入した。今回は百グラムで五七〇〇円ほどだった。決して安い買い物ではないが、念願の商業䗪虫を観察できるので迷う余地はなかった。

届いた䗪虫は、ビニールにぎっしりとパックされていた（図Ⅱ-8）。乾燥状態を保持するためか、内部の空気はほとんど抜かれている。想像以上の個体数が入っている。丁寧に育てて湯煎して乾燥させてという長い時間をかけることを思うと、百グラムで五〇〇〇円オーバーも高すぎるわけではないと思った。自分でつくらなかったら、こうは思わなかっただろう。

図Ⅱ-8　手に入れた䗪虫

ビニール越しに見てみると、種はシナゴキブリのようだ。たしかにメスばかりが使われている（図Ⅱ-9）。

本来は漢方として使用するものなので、カビが生えたりしないように、使用前は開けないほうがいいと思うが、私の場合は観察と展示などのための保管が目的だ。密封できる瓶をあらかじめ買っておいたので、開けた後は観察用の数個を残し、すぐにこれに移して、乾燥剤とともに保存すれば傷むことはないだろう。早速開けてみることにする。

右上にあった切り口からビニールを開けると、空気が内部に入り、ビニールに抑えられていたゴキブリたちがバラバラッと解放され、下部に溜まった。

まずは開口一番のにおいを嗅いでみる。

「うっ……」

これは強烈だ。普通に虫が死んで、腐って乾燥したときのにおいがする。

あまり長く空気にさらすと水分を吸ってしまうので早めに瓶に移し、乾燥剤を入れた。その

図Ⅱ-9　開けて観察。たしかにメスしかいない

際に全体を軽く観察。数匹を観察用に出して、瓶に蓋をした。

瓶の外から観察してみると、ほとんどの個体に肢がない（図Ⅱ-9）。これは乾燥の段階で外れてしまうのか、わざわざ外しているのか。肢にはたくさんのトゲがあり、漢方として使用するときは粉にするとはいえ、トゲが残ってしまうだろう。服用するときに口やのどに刺さらないよう、あらかじめ取っているのかもしれない。そう考えると、かなり手間をかけてつくられている（ただ取れてしまっただけかもしれないが）。

取り出した数匹を観察してみる。一匹あたりの重さを測ってみると、完全な個体（肢はないが）で、〇・四〜〇・五グラムほどだった。一個体〇・五グラムとすると、百グラムで二〇〇匹入っていることになる。お得ぅ。

服用して効果があるかどうかなどを確かめてみたいが、先述したように私はゴキブリアレルギーだ。反応するゴキブリと反応しないゴキブリ（まったく反応していないのではなく、軽い反応はあるのかもしれない）があるとはいえ、危険である。また、当然のことをいうようだが、漢方は薬だ。専門の方から処方された以外のものを、個人で勝手に服用するのは危ない。

服用時の効果や所感などについては、服用したことがある方を探してインタビューしてみたいと思う。

また一つ、やりたいことが増えた。

第3章 外国のゴキブリ探訪記

野外で初めて見る海外のゴキブリたち

海の外へ行きたいな

「海外へゴキブリを見に行きたい」

これまで私は、「生き物観察は足元から」という信条で、国内のゴキブリをメインに採集・観察してきた。ゴキブリを追いつづけて、かれこれ五年。国内で見つかっている六四種中、五四種を見ることができ、残すは記録がわずかな種や移入種と思われる種だけとなった。さらに新種のゴキブリを合計で五種見つけて発表することもできた。

そろそろ海外へゴキブリを探しに行くのもいいのではないだろうか。そう思いはじめてきたのだ。

しかしながら、海外旅行すらしたことのない私が単独で乗り込んで、森の中でゴキブリ探しをするのはあまりにも不安である。そもそも、入国ができるかすら怪しい。英語の論文を書いたことは何度かあるが、それは一文一文じっくり調べながら、先生たちや友人の力を借りてようやくできたものだ。英会話はまったくできない。そもそも私は中学高校と英語で赤点を取りつづけた人間である。言葉の通じない場所でゴキブリ探しという、およそ一般人には理解できない行動をしていて不審がられた日には、お縄を頂戴して、日本に帰れず一生を終える未来まで見える。

誰か海外経験のある人に寄生して……、いや一緒に行きたい。誰か……。

考えて、一番初めに思い浮かんだのが、同い年のムカデ屋、外村くんだった。彼はムカデを探しに東南アジアを頻繁に訪れている。彼から何度かマレーシアに一緒に行こうと誘われていたが、先の「生き物観察は足元から」の信条やコロナ禍ということもあり、一度も実現していなかった。今こそ実現のとき。そう思い、連絡してみることにした。フィリピンあたりだとさまざまなゴキブリが見られるだろうと、フィリピンに一緒に行ってくれないか誘ったところ、すぐにOKの返事が来た。話を進めていくと、フィリピンよりもマレーシアのほうがいいのではないか、とアドバイスをくれた。フィリピンは初海外ではなかなかハードルが高い場所らしく、あまりおすすめできないと。マレーシアであれば、比較的安全で、多くの虫が見られるようだ。

マレーシアのゴキブリ……。アシナガゴキブリにキスジワモンゴキブリ、コノハゴキブリにボルネオマダラゴキブリ、さらには憧れのマレーゴキブリも生息している。マレーシア、いいな！　ということで、行先はマレーシアに決定した。

もう一人誘ってもいいか外村くんに確認をとり、いつものゴキブリ採集仲間、大北くんに声をかけた。彼も私と同様に「まずは日本のゴキブリを」の人。最初こそ行くか悩んでいたが、結局参加することに。三人でマレーシアに行くこととなった。

飛び立つ準備

予定が決まったことで、早速準備を始める。パスポートは少し前に別件で取っていたので問題はない。外村くんから「国際免許を取っておいて」と言われたので、最寄りの運転免許センターに行き、申請をして国際免許を取得した。一時間ほどで取れてしまったのには驚いた。マレーシアは、日本と同様に左側通行だ。海外での運転は怖いが、慎重に運転すれば大丈夫だろう。

持ち物は、国内の離島へ行くときと似ている。海外で採集する際は、その国での許可やビザの取得が必要であることが多いのだが、採集にこだわりはないため、今回は観察のみである。そのため、採集用具は持っていかずに済む。その代わり、カメラなどの撮影機材をたくさん持っていくことにした。初の海外で撮り逃しがあってはもったいないので、カメラのバッテリーを新たに二つ購入し、ストロボも一セット購入、動画撮影用にGoProも買って、そのバッテリーを五つ用意した。メモリーカードもSDを三枚とmicroSD四枚と、十分な量を用意して備えた。これにより、飛行機代（十万円ほど）の何倍も機材にお金をかけることになってしまったが……。

メッセージアプリで連絡を取りつつ、何度かオンラインで打合せを行ない、持っていくものや狙いの生き物などを共有。飛行機のチケットを取る段階で、乗り継ぎでシンガポールに半日だけ寄れることになり、シンガポールでのゴキブリ観察も行なえることになった。シンガポールというと、マーライオンとビルの上にある船のイメージしかなかったが、一部には自然が残っていて、生き物観察もできるようだ。楽しみが一つ増えた。

いざ海外へ

いよいよ出発の日。パスポートと国際免許、日本の免許証（国際免許は日本の免許証と合わせて持つ必要がある）、現金、三日分の着替え、たくさんの撮影機材、ファーストエイドキット、虫よけスプレーなどをスーツケースに詰め、まずは集合場所である関西空港に向かう。忘れ物はないか思い起こしながら電車を乗り継ぐ。何度か心配になってスーツケースを開けたが、忘れ物はせずに済んだようだった。

関西空港で大北くんと合流。「あのゴキブリが見たい」「このゴキブリは厳しいかもしれない」といった話をしながらご飯を食べる。海外に行くと日本食が恋しくなるとどこかで聞いたことがあるので、親子丼を食べた。

出発受付で外村くんと合流し、ついに飛行機に乗り込んだ。まずはシンガポールまで約七時間の旅だ。

シンガポールに立つ

飛行機の高度が下がり、窓の外にシンガポールの美しい夜景が見えてきた（図3-1-1）。さぁいよいよ到着だ。

無事、飛行機が着陸し、足早に入国審査に向かう。飛行機は何度も何度も乗っているが、いまだに「無事、着陸するのか？　もしかしたら落ちるのでは？」と不安になる。いつも安全運航をしてくれているパイロットの方々には頭が下がる。

図3-1-1　飛行機から見たシンガポール。船がたくさん

図3-1-2　シンガポール・チャンギ空港

無事にシンガポールのチャンギ空港に降り立った（図3-1-2）。英語のできない私は初の入国審査にかなり緊張していたが、実際は何も聞かれることはなく、顔写真と指紋撮影で終了。すぐにシンガポールに入国となった。肩透かしではあったが、心から安心したのはいうまでもない。

先に審査が終わっていた外村くんのほうへ向かうが、後から来ていた大北くんが入国審査をしているお兄さんともめているのに気づいた。

どうやら英語で何か聞かれたものの、答えられていないようだ。

遠くから見ていると、私たちのほうを「フレンド！　フレンド！」と大きな声で示しはじめた。なんて恥ずかしいことをするんだ！　と思ったが、気持ちはわからないでもない。

入国審査のお兄さんも手をひらひらとさせながら笑っていた。

その後、無事に大北くんも入国完了。ノコノコとこちらに歩いてきた。

「最初に調子に乗ってHelloって言ったのが悪かったのかも……。英語を話せると思われたかもしれん」

「見た目が怪しいからでしょう」

私の言葉に、外村くんも「なにか怪しいと感じるところがあったんじゃない？」と乗ってきた。

空港内のバーガーキング（イスラム教徒が多いからか、メニューは鶏肉を使用した二種類しかなかった）で腹ごなしをしてから、空港を出る。水分を買わなきゃいけないね、なんて話をしていたがすっかり忘れており、「まぁ、今日行くポイントの近くに自販機があるから、そこで買おう」という外村くんの言葉に安心しながらタクシー乗り場に向かった。

シンガポールのゴキブリたち

二〇分ほどしてポイントに到着した。あたりはもう暗い。ヘッドライトをつけて、カメラを用意し、準備を整える。まずは飲み物を買おうということで、外村くんの記憶にある自販機を目指して歩みを進めたが、いくら探しても自販機がない。

「あれ、ここら辺にあったはずなんだけど、あれ」

外村くんが示す場所には、壁に自販機くらいの大きさの色が違う部分がある。たしかに外村くんの言うとおり、ここに自販機があったのだろう。

「移動しただけでは」という、わずかな可能性にかけて周囲を探すが、それらしきものは見当たらない。

まずい。これはまずい。というのも、やってきたポイントは周囲に店などはなく、飲み物が買えるようなところまで何キロメートルも歩かないといけないのだ。

開始早々、問題発生である。明日の朝まで、飲み物なしで過ごすことになってしまった。

不幸中の幸いであるが、公園に飲用水補給機が設置されているのを発見した。これを飲んでどうにかしのげそうだ。「海外で生水を飲むな」は小学生でも知っていることだが、衛生環境が整ったシンガポールの水は飲むことができる。熱中症になる可能性もあるため、本当に水分がなかったら、歩いて市街地に飲み物を買いに行くことになっていた。そうすれば、ただでさえ半日ほどしかない生き物を探す時間が大幅に減ってしまう。

飲み水の問題が一応の解決を見たところで早速、観察を始めることにした。このポイントは外村くんが何度も訪れていて、さまざまな生き物を見つけた実績もある場所とのことだった。しかし、外村くんはムカデ屋で、ゴキブリ屋ではない。そのため、どんなゴキブリがいるか正確に知っているわけではない。未知である。

まだ見ぬゴキブリにワクワクしつつ歩みを進めていくと、街路樹に何かが動いているのが見えた。虫のサイズではない。

「なんかいる！」

早すぎる遭遇に声を上げる。すると、その「なにか」を見た外村くんが反応した。

「ヒヨケザル！」

そこにいたのはマレーヒヨケザルという哺乳類だった。サルという名前がついているが、サルの仲間ではなく、皮翼目というグループの生き物だ。大きさとしてはネコくらいだ。

興奮していると、ヒヨケザルは木から木へと、ムササビのように滑空した。手や足などの間に皮膜が発達しており、これを使って滑空することができるのである。

早速現れた、日本では見ることのできない生き物に、感動する。

踊る心を落ち着かせながら進んでいくと、小さな崖にタランチュラの巣（図3-1-3）があった

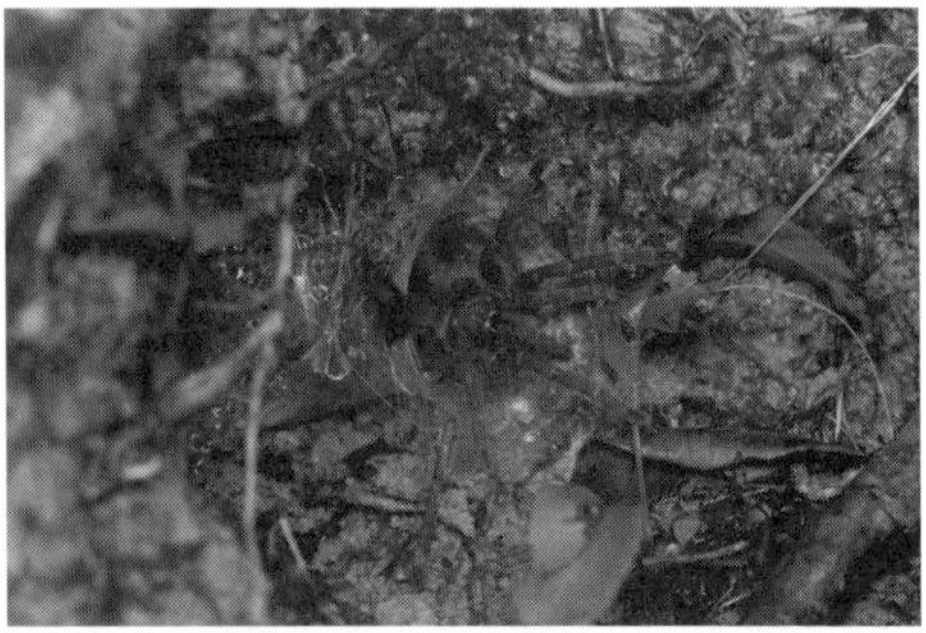

図3-1-3　崖につくった巣穴から体を乗り出すタランチュラの一種（*Phlogiellus inermis*と思われる）

図3-1-4　倒木で見つけたウスリカスサソリ*Lychas scutilus*

り、倒木で尾の長いサソリ（図3-1-4）を見つけたりと、次々に魅力的な生き物を見かける。大興奮だ。目移りしてしまうほどさまざまな生き物が出てくるが、本来の目的を見失ってはいけない。ゴキブリだ。私はゴキブリが見たい。

見たい見たいと言っておきながら、正直なところ、シンガポールにどのようなゴキブリがいるかについては、あまり調べることなくこの場に来てしまった。マレーシアに分布するゴキブリを調べるので手いっぱいだったのだ。ただ、シンガポールはマレーシアと近いこともあり、分布しているゴキブリも多くが被っているだろうと予想していた。前情報としては多くないが、何が見つかるかわからないというのも楽しみがあっていいだろう。

葉の上や枯れ木の上などにゴキブリの影がないか丹念に見て回る。落ち葉の下に隠れている

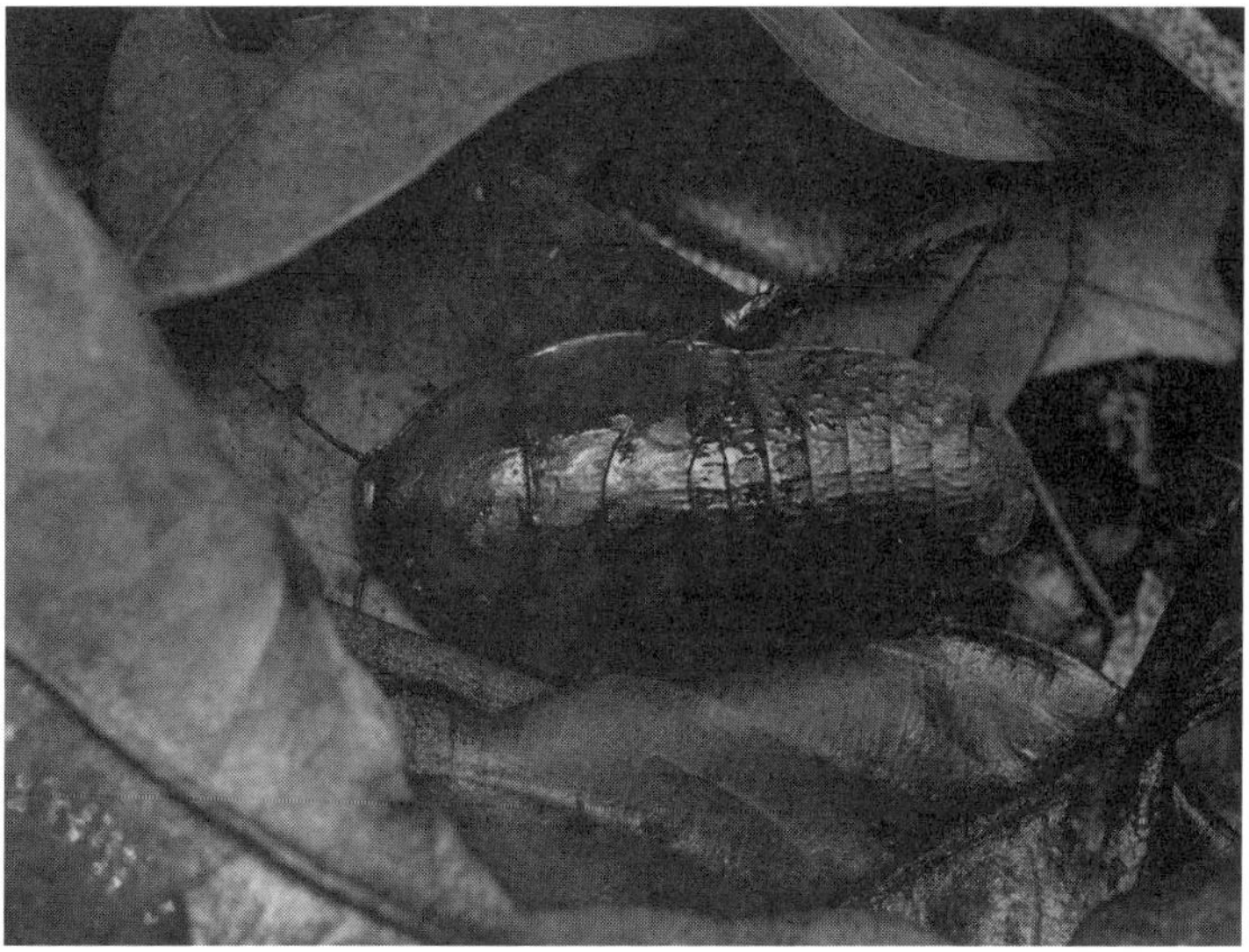

図3-1-5　落ち葉の下から出てきた*Morphna dotata*の幼虫

種類もいるので、落ち葉が溜まっているところを木の棒で探ってみた。すると予想通り、何かが素早く飛び出した。追いかけてみると、ゴキブリだ。おそらく*Morphna dotata*の幼虫だろう（図3-1-5）。日本に輸入された個体を一度飼育したが、うまくいかず、絶やしてしまった。見つかった場所は想像していた生息環境とほぼ一致している。ただ、湿り気はかなり多く感じたので、ケース内の水分量をもっと多くしたほうがよかったのかもしれない。次に飼育する機会があったら参考にしよう。

探してみると、*Morphna dotata*の幼虫がそこかしこから出てくる。生息地では個体数がかなり多いゴキブリのようだ。

落ち葉をめくって*Morphna dotata*の幼虫

図3-1-6　落ち葉の下から出てきたコノハゴキブリの幼虫

たちを観察していると、そのなかに別の種類が混じっていることに気がついた。見た目だ。*Morphna dotata*よりも少しざらついた見た目だ。コノハゴキブリ*Pseudophoraspis nebulosa*の幼虫だろう（図3-1-6）。この二種は幼虫時代に同様の環境で生活しているようだ。コノハゴキブリは日本に輸入された個体を現在も飼育している。かなり湿り気が好きなゴキブリだと思っていたが、生息地もやはり湿潤だ。できれば野生の成虫の姿も拝んでみたいところだ。

落ち葉を探っても他の種は見当たらないようなので、また葉や幹をライトで照らして歩く。カマキリの仲間やナナフシの仲間が見つかるなかで、大北くんが声を上げた。見に行くと、枯れ木の枝に、キラッと光る虫がいる。ヒメマルゴキブリ属の一種*Perisphaerus* sp.だ！

日本にいるヒメマルゴキブリの仲間で、本種も見事に丸くなることができる。ヒメマルゴキブリよりも光沢が強く、ピッカピカで素晴らしいゴキブリだ。

見つけた大北くんが撮影するのを待っている間に、周囲を見回していると、頭の上くらいの高さにある枯れ枝に、ゴキブリの姿を見つけた。

「でっかい目のやついた！」

オオメシロヘリゴキブリ*Pseudophyllodromia laticeps*である（図3-1-7）。今回の旅で、もしかしたら出会えるかもと期待していたゴキブリの一種だ。下調べしているときに見た写真は昼に撮影されていたものが多かったため、昼の遭遇率が高いのかと思っていたが、夜も活動しているようだ。そもそも夜にゴキブリを探し回る人が少ないだけかもしれない。

本種の特徴は、なんといっても大きな複眼だ。頭でっかちな見た目が少し宇宙人を連想させる。独特の見た目なので、好き嫌いが分かれるかもしれないが、私は大好きなゴキブリだ。

ヒメマルゴキブリ属の一種を撮影する大北くんの横で、私もオオメシロヘリゴキブリの撮影を始める。

光沢のあるゴキブリを撮影するのは難しい。フラッシュを焚いたとき、反射して一部が白く飛んでしまうのだ。模様があり、かつ光沢の強い種類は、模様を写せるように光の当て方を調

図3-1-7　木の枝で見つけたオオメシロヘリゴキブリ

節しなくてはいけない。フラッシュの角度を変えつつ、ひたすらに写真を撮った。

シンガポールというと都会のイメージがあり、昆虫なんているのだろうかと思っていた。しかしながら、少し木があるところに行けば、さまざまな生き物が見つかる。実際にフィールドで生き物を探して、シンガポールのイメージが大きく変わった。

少し進んでいくと、またもヒメマルゴキブリ属の一種を見つけた。大北くんが見つけた個体も撮影していたが、うまく撮影できなかったので再チャレンジだ。逃げられないうちにシャッターを切ると、満足のいく写真が撮れた（図3-1-8）。出来心でつついてみると、見事にコロンと丸くなった（図3-1-9）。わかっていてもついついやっ

図3-1-8　せわしなく歩くヒメマルゴキブリ属の一種

てしまう。

進んでいくと、他にもさまざまなゴキブリに出会うことができた。モリゴキブリの仲間、ヒラタゴキブリの仲間、マルバネゴキブリの仲間などなど、日本にも分布しているゴキブリと同じ仲間の別種たちが夜の森にあふれている。

何か他にもいないだろうかと視線を走らせていく。緑色の葉の上に載った落ち葉を見つけて目がとまった。もしや、と思ってよく見てみると、念願のコノハゴキブリの成虫（図3-1-10）だ！

「コノハいた！」

「おお！　お手柄！」

私の声に、外村くんが反応した。

まさに木の葉。単体で見れば見過ごすこ

図3-1-9　刺激すると丸くなったヒメマルゴキブリ属の一種

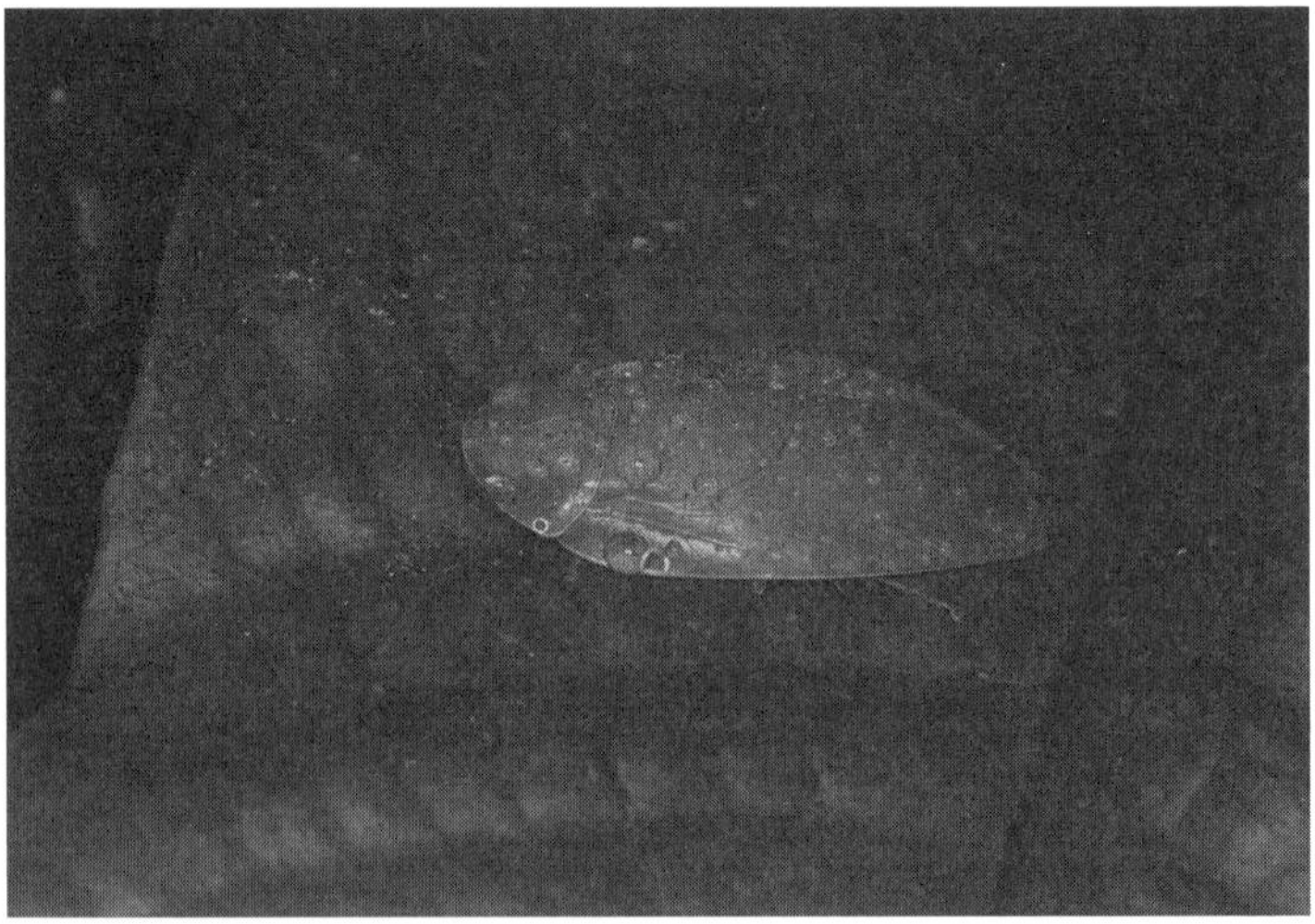

図3-1-10　葉の上にいたコノハゴキブリの成虫

とはないが、こうやって葉の上に乗っていると、落ち葉にしか見えない。水滴がついていて、なんと美しいことか。

飼育下では、幼虫は床材付近に、成虫はコルク樹皮の上などに静止していることが多い。そのため、幼虫は林床で生活し、成虫は木の隙間などの少し高いところにいるのではと予想していた。今回の観察から考えて、予想はおおむね合っているようだ。

飼育していて「こうなのではないか?」と思うことを生息地で確かめ、野外で「こうではないか?」と思うことを飼育で確かめる。そうすることで、生き物をより理解できる気がしている。私にとっては、飼育も野外観察も、どちらも欠かすことのできない、生き物を知るための方法だ。

その後もゴキブリを探しつづけたが、新しい種の追加はなかった。しかし、オオメシロヘリゴキブリやヒメマルゴキブリ属の一種の追加を見つけることができた。

あっという間に時刻は五時。シンガポールに朝が来ようとしている。ベンチでひと休みしながら、撮影した写真を見返して、あたりが明るくなるのを待つことにした。結局、一睡もせずに虫探しをしたが、気分がハイになってしまっているのか、眠気はほとんどない。明るくなってきたら、近くで生き物探しをもう少しだけして、いよいよマレーシアに向かう。

別名ジャイアントローチ・マレーゴキブリ

マレーシアに降り立つ

シンガポールを飛び立った飛行機は、マレーシアのクアラルンプール空港に到着した。飛行機からマレーシアの熱帯雨林を撮影できるかと思っていたのだが、見えたのは広大なアブラヤシのプランテーションだった（図3-2-1）。アブラヤシを植えるために熱帯雨林を開発し、多くの生き物が生息地を奪われていることは本や話で知っていたが、そのあまりの規模に驚いた。ここが森だったとき、いったいどれくらいのゴキブリが生息していたのだろうか。

アブラヤシから得られるパーム油は、食用や洗剤の原料として身近に存在する。異国の話だからといって他人事で

図3-2-1　広がるアブラヤシのプランテーション

図3-2-2　宿に行く前に寄った食堂

はない。私たちは当事者なのだという意識をもつことが重要だと再認識した。

プランテーションのことをぐるぐる考えながら空港を歩き、入国審査を通過する。「止められるかも」という緊張で頭が切り替わった。

マレーシアで生き物観察をするポイントは、キャメロンハイランドという高地である。この場所は虫好きなら知らない者はいないほどの有名ポイントで、じつにさまざまな昆虫を見つけ

図3-2-3　ビュッフェのようになっており、店に入ったら自分で好きなものを皿に盛り、食べる。何を取ったか店員さんが見ており、帰りに料金を支払って店を出る

図3-2-4　何がなんの料理かいまいちわからなかったが、おいしそうなものを選んだ。鶏肉と、見たことのない魚の揚げ物と、ゆで卵と野菜の入ったカレー、豚レバーの炒め物。どれもおいしかった

図3-2-5　川から湧き出している温泉を吸いに集まるアカエリトリバネアゲハ*Trogonoptera brookiana albescens*。温泉はかなり高温で、撮影も暑さとの闘いだった

ることができる。しかし、空港から距離があるので、移動に時間がかかるのが難点だ。私たちもシンガポールからマレーシアに移動した日は、町の食堂で昼食をとってから（図3-2-2～4）、空港とポイントの中間に位置する宿に宿泊した。シンガポールで体力をかなり消耗していたので、この日はよく眠ることができた。

マレーシアに入国してから二日目。いよいよキャメロンハイランドに入る。途中にあるクアラ・ウォーという場所で、マレーシアの国蝶であるアカエリトリバネアゲハに感動してから（図3-2-5）、山道を車で進み、標高を上げていく。今回は外村くんが運転してくれた。私は助手席で、初めて見るマレーシアの森に感動しながら揺られていた。

宿につき、荷物を解く。少し時間をおいて、ついにマレーシアでのゴキブリ探しが始まる。

夜のマレーシア　その一

初日の夜は、外村くんがよく行くというポイントに連れていってもらうこととなった。どんなゴキブリに出会えるだろうか。ワクワクして足が早まる。

今日、生き物探しをする環境は湿潤な森林。舗装こそされていないものの道はあり、進むのに苦労することはない。生き物を探しながらゆっくり進むので、上り坂も苦にならない。

葉の裏や枯れ木、木の幹などをライトで照らして見ていく。すると、道沿いにある立ち枯れ

図3-2-6　ボルネオマダラゴキブリ。夜になると立ち枯れの穴から出てくる

の高さ三メートルほどのところに大型の昆虫を見つけた。ボルネオマダラゴキブリ*Morphna maculata*だ（図3-2-6）。高所すぎて撮影が難しかったため、三人で協力して地面近くに誘導した。小判状のフォルムが美しい。色合いは決して派手ではないが、細かな模様は見ていて飽きない。湿った林床では、ボルネオマダラゴキブリの幼虫と思われる個体も見つけた。日本の八重山列島に生息するヤエヤママダラゴキブリも同じく、幼虫は湿った林床に多く、成虫は立ち枯れや樹洞に潜んでいる。同じような生活を送っているのかもしれない。

ボルネオマダラゴキブリとの出会いを堪能してから歩きはじめると、不意にライトに向かって何かが飛んできた。咄嗟に手で

図3-2-7　ヤミスズメバチ属*Provespa*の一種。飛んできた個体を咄嗟に振り払ったところ地面に止まったので撮影

払いつつ、ライトを消す。飛んできたのはヤミスズメバチ属の一種だ（図3-2-7）。彼らは夜に活動し、あろうことかライトに向かって飛んできて刺す。事前打合せのときに外村くんから聞いた話では、あまり出会わないとのことだったが、なぜか今回は多く、探索中に十回くらい襲撃にあった（場所がそれぞれ離れているので、別の個体と思われる）。安心してライトをつけておくこともままならない。羽音が聞こえた瞬間にライトを消し、その場を離れて回避した。刺されてアナフィラキシーショックを起こしたら大変だ。素敵なゴキブリたちがいる森から強制撤退など笑えた話ではない。それに、アナフィラキシーショックが起きなくとも、刺されたら相当痛いと聞く。

ヤミスズメバチに怯えながら探索を続けると、アシナガゴキブリ*Catara rugosicollis*を見つけることができた（図3-2-8）。湿潤な森林に住むゴキブリで、鎧のような見た目が非常にかっこいい。本種はオス成虫とメス成虫で見た目が大きく違い、オス成虫は長い翅をもつが、メス成虫は翅をもたず、幼虫とよく似た見た目をしている。日本でも飼育されることのあるゴキブリ

図3-2-8　幹で静止するアシナガゴキブリのメス成虫

だが、流通は少なく、そのうえ、飼育にクセがあり、一筋縄では飼育できないゴキブリだ。生息地での個体数は多いようで、この遠征中にあちこちで見つけることができた。本種も野外での姿を見たかったゴキブリなのでうれしい。樹上で見つかる個体のみだったため、立体的な環境が飼育のカギになりそうだ。

初日からさまざまな生き物に出会えたが、この日一番印象に残ったのは、いうまでもなくヤミスズメバチだ。

夜のマレーシア　その二

翌日の夜も同じポイントを訪れた。今回は進む道を変えて、もう少し標高を上げて

図3-2-9　葉の裏にいたサカダチコノハナナフシ*Heteropteryx dilatata*のメス幼虫

いく予定だ。昨日も通った道で生き物を探していると、葉の裏に大きな昆虫を見つけた（図3-2-9）。サカダチコノハナナフシだ。

本種は、ナナフシといって多くの方が想像するような「細い枝のような昆虫」とは真逆の「幅の広い葉っぱのような昆虫」である。見つけたのはメスの幼虫のようだった。マレーシアに来る前、本種についても調べていたが、野外ではなかなか見つけるのが難しいと聞いていたので、こうも簡単に見つけられるとは思っていなかった。

刺激してみると、「サカダチ」の名の通りの威嚇ポーズをとった（図3-2-10）。

子どものころに図鑑で見た虫が、実際に目の前にいる。当たり前のことではあるが、「本当にいたのか」という気持ちになった。

図3-2-10　逆立ち威嚇ポーズ

他にも、カマドウマの仲間やセダカヘビの一種が見つかる（図3-2-11）。

目の前に唐突に現れる生き物たちに夢中になりながら道を進んでいく。周囲の木をライトで照らしながら何かいないか探していると、わきに生えた木の三メートルほどの幹に何か黒い虫がついている（図3-2-12）。目を凝らしてみると、それがアシナガゴキブリのオス成虫だとわかった。これまでメス成虫や幼虫は見つけることができていたが、オス成虫は初めて。声を上げて興奮するも、カメラのズームを使ってもきれいな写真は撮れそうもない。

「高いな。あれは無理だ」

遠くから撮影した写真で満足しておこう、そう思ったとき、外村くんが口を開いた。

図3-2-11　大北くんが見つけたセダカヘビの一種*Asthenodipsas lasgalenensis*

図3-2-12　高所に怪しい影

図3-2-13　肩車作戦が成功して撮影が叶ったアシナガゴキブリのオス成虫

「いや、いける」

「ええ、どうするの？」

「肩車でいこう」

なんと、足場の悪いこんなところで肩車作戦を行なうという。しゃがんだ彼の肩に、緊張しながら乗る。バランスを崩したら終わりである。外村くんはゆっくりと立ち上がり、アシナガゴキブリのオス成虫に接近した。最初はどうなるかと思ったが、想像以上に外村くんは安定しており、肩車作戦は成功。アシナガゴキブリのオス成虫を撮影することができた（図3-2-13）。

それから少し道を登っていくと、再びサカダチコノハナナフシを見つけた。先ほどの個体と比べて茶色く、細身である。どうやらオスの幼虫のようだ。

図3-2-14　幹に張りつく*Allacta*属の一種

現れる生き物たちを休む暇もなく観察・撮影していく。なんと楽しいことだろうか。

「このゴキブリは？」

少し先に進んでいた外村くんが声を上げた。早足で向かうと、木の幹についた虫を指している。そこには白と黒の複雑な模様をもった小型のゴキブリがいた。*Allacta*属の一種だ（図3-2-14）。日本に生息しているアミメヒラタゴキブリに何となく似ているが、一回りほど大きい。下調べの段階ではたくさんいるだろうと予想していたのだが、なかなか見つけられず不思議に思っていた。ようやく出会うことができてうれしい。

周辺を探してみると、他にも数個体見つけることができた。

探せば探すだけ初めて見る生き物が見つ

かる。たまらなくおもしろい。今回は十日ちょっとの日程だが、おそらく足りはしないだろう。ただ、十日程度の予定でよかったとも思える。きっとマレーシアにいればいるほど、夜遅くまで生き物探しをして、体調を崩してしまうだろうから。

昼のゴキブリ

ゴキブリの採集や撮影は、夜に行なうことが多い。これはゴキブリに夜行性の種が多いためで、彼らの活動時間に合わせて探したほうが、効率よく採集でき、活動しているイキイキとした姿を撮影できるからである。なかには、昼にどこに隠れているのかいまいちわからない種や、隠れている場所がわかっていても手やカメラが届かないような場所のことも多い。ゴキブリ自身がそこから出てきて活動してくれる夜は、ゴキブリを探す私にとっても最適な時間なのである。

では、ゴキブリ探しの遠征で昼は休んでいるのかというとそういうわけでもなく、昼もゴキブリを探してフィールドに出る。夜に比べて見つけにくい時間帯ではあるが、何も見つからないわけではない。少ない滞在時間のなかで少しでも多くのゴキブリと出会いたいという思いで、眠い目をこすってフィールドに出る。

今日はキャメロンハイランドから少し下った川の近くで生き物を探している。外村くんは何か撮影したい生き物がいたようで、奥のほうに行ったまましばらく撮影していたため、私と大北くんで、周囲を探索する。腰ほどの高さのある草本が生えた、草原のような環境である。

草原なだけあって、少し探してみると、バッタやカメムシの仲間が多く見つかる。日本でもそうだが、探す環境を変えるだけで、見つかる虫は大きく変わる。すでにマレーシアに来て数日が経過していたが、初めて見る虫ばかりで飽きない。

他にも何かいないか探していると、葉の上に小型の昆虫がいるのを見つけた。はっと息が止まる。クロアシクビワゴキブリ*Hemithyrsocera histrio*だ（図3-2-15）。本種もマレーシアで見つけたいと思っていたゴキブリである。下調べの段階で、昼に撮影された写真が多くあったことから昼行性のゴキブリではないかと思っていたが、その予想はどうやら当たりのようだ。触角を振りながら葉の上を歩き回っている。

逃げられたらまずいと思い、夢中で撮影する。しかし、少しの刺激に反応し、逃げられてしまった。

大北くんにもクロアシクビワゴキブリがいたことを伝えると、彼も夢中で探しはじめた。何度も草むらを行ったり来たりしていると、ポツポツと見つかる。しかし、どの個体も非常に素早く、刺激を加えると葉の上からピョンと飛び降りて、どこに行ったかわからなくなる。何度も何度も逃げられつつ撮影し、どうにか満足のいく写真を撮影することができた。

図3-2-15　葉上のクロアシクビワゴキブリ

それでもまだまだ撮影したいと思って探索していると、地面に何かが這っているのを見つけた。最初はイモムシかと思ったが、よく見てみるとそれはヒルだった。「ここヒルがいるのか」慌てて裾をめくって確認する。運よく吸いつかれてはおらず、安心した。しかし、そんなに甘くはなかった。

何気なく腰に手を当てると、違和感があった。手を見てみると、べったりと血がついている。やられた。シャツとズボンの継ぎ目の腰の部分にヒルがくっついていたようだ。もう離れた後のようで、長いこと吸われていた模様。大北くんに見てもらうと、一か所ではなく数か所吸いつかれた痕があるらしい。複数匹に血を吸われていたようだ。

なぜか大北くんは被害にあわず、この後も私ばかり吸われた。目的のゴキブリが見つかったので落ち込みはしないが、少しテンションが下がった。

あのにおいを求めてジャングルへ

『メン・イン・ブラック』という映画をご存じだろうか。一九九七年に公開され大ヒットしたSF映画で、これまでに合計四作が公開されており、どれもおもしろく、私が大好きなシリーズの一つである。この一作目にはゴキブリ型のエイリアン、バグが敵として登場する。

マレーゴキブリ *Archiblatta hoeveni* はまるで『メン・イン・ブラック』に登場するバグのような、独特の見た目の巨大ゴキブリだ。別名ジャイアントローチと呼ばれ、ペットとして販売されることもあるが、飼育は難しく、なかなか殖えない。私も何度か飼育したことがあるが、卵鞘は産むし、孵化はするものの、幼虫を育て上げることができずに全滅させてしまった。そんな経緯があり、本種がどのような場所に生息しているのか非常に興味があった。生息地から飼育のヒントが見つかるかもしれないし、その環境を見ておくのは重要だと思ったのだ。

マレーシアに来て数日がたったころ、マレーシアに住むジェイビスさん（外村くんの友人）が原住民のオランアスリの方（名前は聞くことができなかったので、仮にAさんと呼ぶ）に依頼してくれて、夜にマレーシアの深い森に入るチャンスが巡ってきた。

Aさんが森の中を先導してくれる。登山靴にゴアテックスの雨具、各種カメラ機材を背負って、虫よけスプレーを全身に振りかけている私たちに対し、Aさんの装備は運動靴に雨合羽、そしてナタのみ。いたって軽装だ。私も英語はほとんど話せないが、Aさんも英語はわからないようで、身振り手振りやお互いにわかる簡単な単語だけを使って意思疎通を図りつつ進む。

森の入り口まで歩いていくが、ここがとんでもなく急な上り坂で、早速疲労が襲ってくる。雨も降っており、体力勝負になりそうである。外村くんはこの段階でかなり消耗しており、森に入る前からぐったりしていた。撮影機材をたくさん持っているので、気を遣ううえに重いので大変だ。私もカメラを持っているが、一台だけなのでまだ楽である。

入り口で少し休憩してから、早速森の中へ入っていく。Aさんの後を、私、大北くん、外村くんの順番で進んでいく。途中、あることが気になったので、Aさんに拙い英語で話しかけた。マレーシアにはマレートラやアジアゾウが分布している。日本ではなじみがないので忘れがちだが、この森ではこれらの大型動物が出てきてもおかしくはない。そのため、先に「トラはいるのか」と聞いてみた。返事は「No」とのこと。とりあえずは一安心だ。

ただ、ジャングルに潜む危険はそれだけではない。毒ヘビやハチ、カも大きな脅威だ。気をつけながら進んでいく。暗く雨が降る森を、カメラを守りながら進む。

途中、目の前でAさんが足を滑らせて段差に落ちた。慣れている人でも落ちるのか、とゾッとする。

けもの道のような場所を進んでいくと、土嚢が積まれて小さなダムのようになっている場所に出た。Aさんの足が止まったので、少し休憩する。

先を見ても、道はない。ここが終点だろうか。

本末転倒であるが、雨からカメラを守ることとAさんについていくことで精いっぱいで、まったく虫を見つけられていない。これでは何のために雨の中、危険な森に踏み入っているのか……。もう少しあたりにも気を配らねば。

そう思っていると、Aさんがナタを取り出した。何をするのかと見ると、近くの斜面に取りついた。植物を切りながら、道を開拓し進んでいく（図3-2-16）。もしかして、ここを行くのだろうか。

質問したくても、言葉が通じないので確かめようがない。大北くんと外村くんに「ここ行くの？」と確認するも、わからない、たぶんそうなんじゃないか、と二人も微妙な顔をしている。

とりあえずついて行くしかないだろうということで、Aさんの後を追いかける。切れ味抜群のナタは、行く手を阻む植物をスパスパと切り落としていく。しかし、大きな道ができるわけではなく、最低限の植物しか薙ぎ払わないため、雨に濡れた植物を押し分けながら進む。枯れ枝も多く、気を抜くと目に刺さりそうで怖い。こんな状況では虫を探すどころではない。雨の

図3-2-16　藪からかろうじて見えるAさんの背中。ここを進んでいく

中、ひたすらAさんの背中を追いかける。私、大北くん、外村くんの三人でついていく順番を変えつつ、進む。

途中、Aさんが倒木でベニボタルの一種を見つけてくれた（図3-2-17）。マレーシアで見てみたいと思っていた昆虫だけに、とてもうれしい。少しの間、疲れを忘れて撮影をした。また、Aさんが近くにあった倒木の樹皮を剥がすと、サソリが出てきた（図3-2-18）。日本にいるヤエヤマサソリに似ているが、ずっと大きい。これも撮影する。

ようやく生き物を見ることができたのも束の間、またも森の中を突き進む。

「うわぁ！」

突如、前を進んでいた外村くんが叫ぶ声

図3-2-17　倒木に張りつくベニボタルの一種

図3-2-18　樹皮を剥がしたら出てきたサソリの一種

が聞こえたので、何ごとかと思った。どうやら、外村くんの手の少し上に、Aさんのナタが振り下ろされたらしい。あと少しで指が飛ぶところだったようだ。ゾッとする。

私だけ見つからない

その後もAさんの後をついて森をうろつく。時折、虫は見つかるが、マレーゴキブリは見つからない。

先ほど来た道を戻り、別のルートへ向かう。その途中で、足を掛けようとした倒木の樹皮が一部剥がれかかっていた。こういうところはゴキブリがよくいるんだよな、と思って剥がしてみると、ゴキブリの姿が！　バサリスサシガメゴキブリ *Paranauphoeta basalis*（図3-2-19）が、オスメスそれぞれ一個体と幼虫が十数匹隠れていた。樹皮を剥がされ、唐突に光を当てられたため、パニックになって走りはじめてしまった。写真撮影はできなかったが、野外での生息環境を見ることができたのは大きな成果である。飼育下でも乾燥した樹皮の隙間に入り込んでいる姿が観察できるが、野外でも同じような環境で生活しているようだ。さらに、アシナガゴキブリも多く見られた。これもうれしい。

そのまま進んでいくと、開けた場所に出た。暗くて最初はわからなかったが、山頂に近い場所のようで、下の道路が見える。

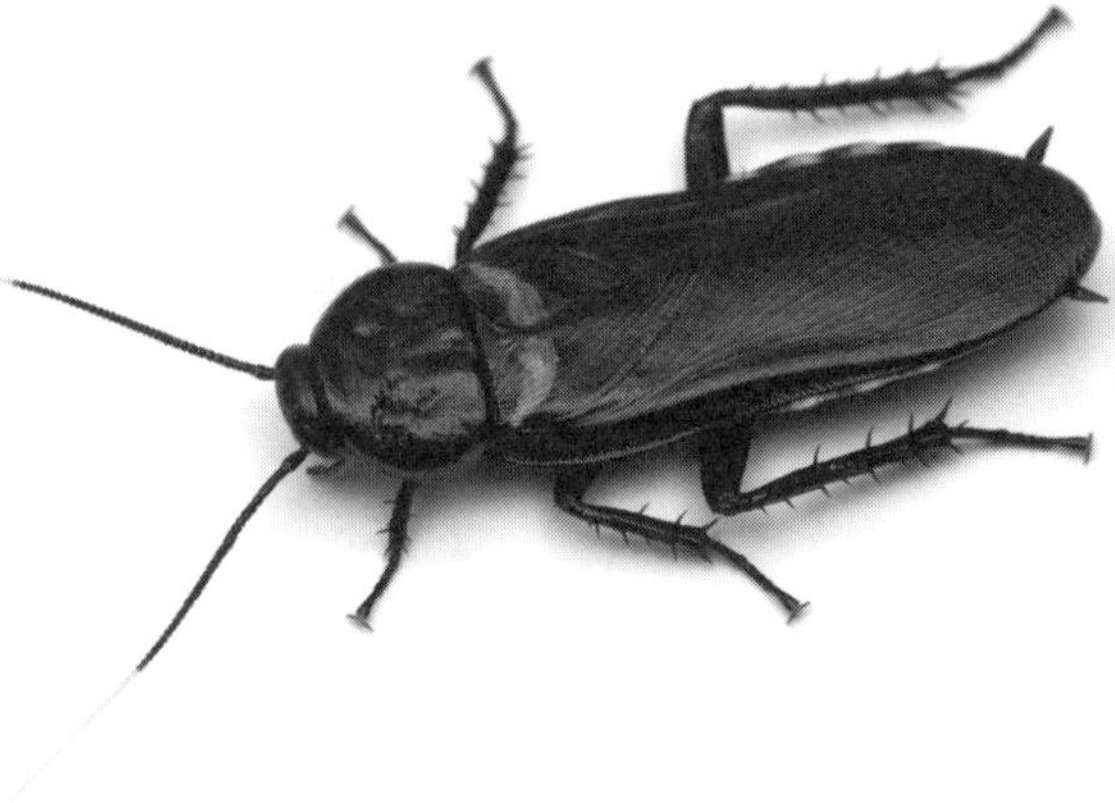

図3-2-19　バサリスサシガメゴキブリ。樹皮下にいた個体は素早く動いてしまったので撮影できなかった。こちらは飼育している個体

Aさんのお父さんと弟が別ルートで先に登ってきていたようで、一角で焚火をしていた。ここで少し休憩するとのことだった。雨は一時的にやんでいたが、すでに全身が濡れている。焚火にあたって乾かしてみたがキリがなさそうなので、周辺で虫を探すことにした。

開けた場所は雨が直接当たるためか、虫をあまり見つけられないまま、再出発のときがきた。ここからまたAさんについていく。どうやら山道を下っていくようだ。

再度、私が三人の先頭になって足元に気をつけながら、虫も探しながらゆっくり進んでいく。すると、少し先のところでAさんが立ち止まって何かを示しているのに気づいた。見に行くと、そこには追い求めて

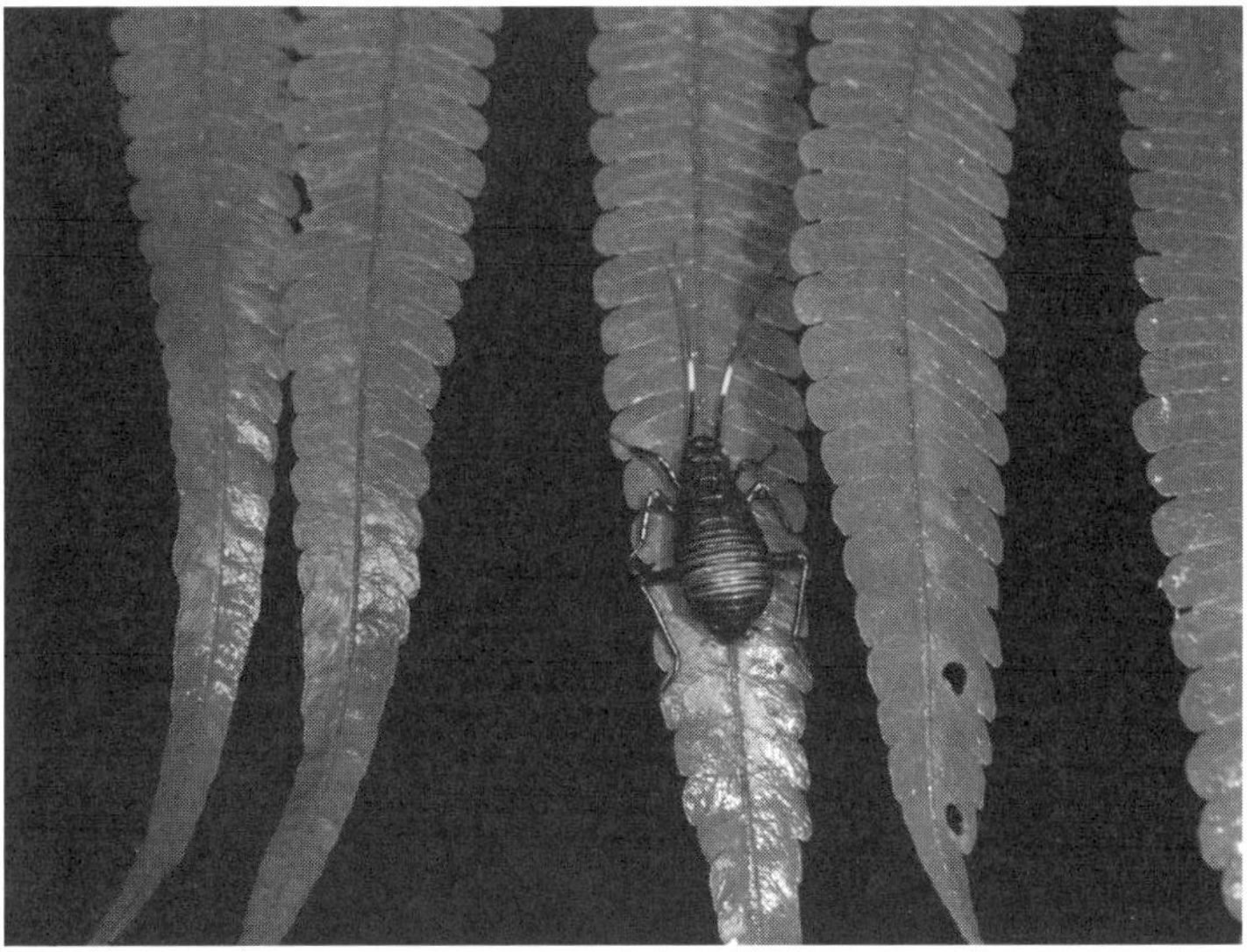

図3-2-20　Aさんが見つけたマレーゴキブリ

いたマレーゴキブリの姿があるではないか！

「いた！　ジャイアントローチ！」

私の声に、後ろにいた二人も寄ってきた。まだ幼虫の個体で、シダの仲間にちょこんと乗っている（図3-2-20）。てっきりアシナガゴキブリ同様に木の幹についているとばかり思っていたので、これには驚いた。

自分で見つけられなかったのは悔しいが、撮影させてもらう。かなり落ち着いているようで、フラッシュや多少の揺れでは逃げ出さなかった。

ファインダーから目を離し、あたりを見回す。一匹いたならば、周囲に他の個体もいるはずである。やはり、自分で見つけたい。見つかった場所を中心に一帯を探すことにした。

探しはじめて数分後。またAさんが呼んでいるので見に行くと、先ほどと同じくらいの幼虫をまた見つけていた。くそう。

悔しさをバネに、あっちに行ったりこっちに行ったりとせわしなく歩き、マレーゴキブリを探し回る。

「あ、いた」

唐突に、大北くんの声がした。見ると、何か見つけたようで、外村くんと話をしている。私も駆け寄り、示している場所を見ると、そこには枝先にとまるマレーゴキブリの姿があった。

「うわ、そんなところにいたのか！」

こんなに悔しいことはない。そこは先に私が通った場所なのだ。そこにいたのに気づかず、見逃したことになる。

悔しくなって、あたりを歩き回りながら、ひたすらに探し回る。葉っぱの上、木の幹、枯れ枝の上、地面。くまなく探して歩くが姿はない。

血眼になって探していると、ついにその瞬間が訪れた。地面から20センチほどの高さにある、指の太さほどの植物に、マレーゴキブリの姿を見つけたのだ。

「いたいたいた！」

図3-2-21　ついに発見！ マレーゴキブリ。この日の最大サイズ

しかも、これまで見つかったどの個体よりも大きく、見たところオスの終齢幼虫のようだ（図3-2-21）。

このゴキブリを見ることができただけで、マレーシアに来た甲斐があった。心底そう思った。

刺激すると、「ギィギィギィ」と音を出し、においのする液体を手に吹きかけられた。嗅いでみると、まろやかさのある強いメンマのようなにおいが鼻を突いた。本種は危険を感じると、このように抵抗するのだ。

見つけることができた感動と、爽快感が同時にやってくる。

目的を無事に果たすことができ、張っていた体の力が抜ける。不思議なもので、一匹見つけると、その後ぽつぽつと数個体を見つけることができた。

みんなが満足したところで先に進むと、すぐに森を抜けてスタート地点に戻ることができた。来るときに登ってきた急坂はくだりもつらい。足もガタガタで全身びしょ濡れ。だが心は満たされていた。

相当ハードな一日だったが、翌日からもラフレシアを見に行ったり、ギガスオオアリの巣を見つけたりと、存分にマレーシアを堪能し、帰路についた。

マレーシア遠征では、狙っていたものの残念ながら見つからなかった種もいたが、当初の予想よりも多くの種に出会えたので大満足の結果だった。今回見つけることができなかった種は、またいつかリベンジしたい。

今回の遠征を終えて、私はよりゴキブリの深みにハマった。今回だけで、なんと六〇種を超えるゴキブリに出会えた。たった十日やそこらで、日本産全種に匹敵する種数を観察できたことになる。ゴキブリの多様性を感じ、本や写真でしか見たことのない種が目の前でイキイキと活動している光景を見て、奥深きゴキブリの世界の一端を垣間見ることができたと同時に、私はまだまだゴキブリのことをほんの少ししか知らないのだと感じた。

鎧を着たゴキブリ・ヨロイモグラゴキブリ

鎧を着たゴキブリ

マレーシアの旅程を立てているなかで、どこか海外のゴキブリが身近な存在に感じはじめた。今まで写真や本でしか見てこなかったゴキブリたちに、少し頑張れば会いに行けるのだ。どのゴキブリに会いに行こうか。すでに旅に行くことは頭の中で決定していた。そして、一種のゴキブリが頭に浮かんだ。

ヨロイモグラゴキブリ*Macropanesthia rhinoceros*である。

オーストラリアには魅力的なゴキブリたちが多く生息している。*Polyzosteria*はどの種も豪華絢爛な見た目をしているし、*Elipsidion*も素敵だ（どちらも和名はないので、ここでは*Polyzosteria*をゴウシュウゴキブリ属、*Elipsidion*をユーカリゴキブリ属と仮に呼称する）。

そして、オーストラリアのゴキブリといったら外せない種がいる。ヨロイモグラゴキブリである（図3-3-1）。

ヨロイモグラゴキブリは、いわばゴキブリ界のスターだ。世界で最も重いゴキブリとされ、その重量は三〇グラム以上となる（Bell *et al.* 二〇〇七）。よくわからんな、という方は、台所に

図3-3-1　ゴキブリ界のスター、ヨロイモグラゴキブリ。飼育している個体

よく出没するクロゴキブリの重さが二グラムほどしかないといえば、いかに彼らが重いかわかるだろうか。短めの肢に、のっそりのっそりとした動き、翅がなく硬そうな見た目から、多くの方の想像するゴキブリとは違い、どこかカブトムシのような雰囲気を感じる。彼らはオーストラリアにあるユーカリやアカシアの混交林の地下に穴を掘って生活しており、成虫が幼虫を育てる亜社会性をもつ。

ヨロイモグラゴキブリは、ペットとして飼育している人も多い。かくいう私も複数匹飼育している。愛嬌があって、とてもかわいいやつらだ。

本種の人気は凄まじい。竜洋昆虫自然観察公園にて私が主担当を務めて開催している「ゴキブリ展」では、毎年「ＧＫＢ48総選挙」なる人気投票を行なっているのだが、ヨロイモグラゴキブリはその第一回で見事一位を獲得した。寄せられた意見としては「動きがかわいかった」「ゴキブリには見えない」「迫力がある」といったものが多く、多くの方が彼らの魅力に当てられてしまったようである。まぁそれも仕方ないほど魅力にあふれたゴキブリだ。

私はゴキブリストを名乗っていることもあり、「飼育するのにおすすめのゴキブリはなんですか？」と聞かれることがよくあるのだが、そのときはいつもこのヨロイモグラゴキブリを勧めている。「逃げられないように飼育する」これはすべての生き物を飼育するうえで重要なことだが、ゴキブリの飼育においてはこれがなかなかに大変だ。彼らは脱走の達人である。プラケースのツルツルの壁も登れてしまうし、少しの隙間があれば逃げ出してしまう柔軟性も持ち合わせている。そのため、おすすめするゴキブリにおいて最も重視しているのが「脱走しにくさ」である。ヨロイモグラゴキブリはツルツルした壁を登ることはできず、サイズも大きいため、隙間から逃げ出してしまうという事故も少ない。さらに飼育も難しくなく、かなり丈夫なゴキブリだ。ペットローチとしてはほとんど文句のつけようがない。唯一、価格が高い（一匹あたり二万円ほど）ことくらいだ。

とにかく、本種は非常に魅力的なゴキブリだ。かねてから私は、本種がどのような場所に生息しているのか、この目で見てみたいという欲求をもっていた。ヨロイモグラゴキブリの解説をする際、「オーストラリアのユーカリ林に生息しています」とはいうものの、それを自分で確かめたわけでも、どんな場所か見たことがあるわけでもない。ゴキブリストとして、一度は訪れたい場所であった。

二〇二三年三月。私は長年の夢であったオーストラリアを訪れた。

助っ人

磐田市から在来線と新幹線を使って成田空港に到着。第三ターミナルにつき、待ち合わせのフードコートに向かう。きょろきょろしながら歩いていると、横から「しずまさん」と声をかけられた。見ると、金髪の男性が席に座ってパソコンを開いていた。

「モトさん！　よろしくお願いしますー」

「よろしくお願いしますー」

「無理を言って、すみません」

荷物を下ろし、私も席に座る。

モトさんは海外で昆虫観察の経験が多い虫屋さんである。オーストラリアにはこれまで三回訪れており、直近の旅ではなんとあのヨロイモグラゴキブリを見事見つけている。

初めての異国の地で一人というのは心もとないこともあり、ずうずうしくも同行をお願いし

図3-3-2　オーストラリアの地図。今回はケアンズとパースで観察をする

てしまった。話によるとヨロイモグラ探索はかなり大変だったとのことだが、非常に心強い味方である。

飛行機の時間まで少しあるので、オーストラリアに生息する生き物の話や日程について話をする。今回の日程では、最初の四日間はクイーンズランド州のケアンズ周辺、残り三日は南西部にある西オーストラリア州のパース周辺で観察を行なう予定である（図3-3-2）。

ケアンズ周辺に生息するヨロイモグラゴキブリについては、生息している場所はわかるものの、巣を見つけられるかが問題だ。モトさんの話によると、これまでも何度か探したが、見つけられたのは一度だけで、三人がかりで二日かかってやっと見つけたという。ケアンズ周辺には四日滞在するので時間的余裕はあるが、それでも見つけられるか微妙なところだ。穴を掘って暮らすヨロイモグラゴキブリを見つけるため、体がボロボロになるまでひたすらに土を掘る所存だ。

ケアンズではもう一種、ユーカリゴキブリの仲間にも出会いたいと思っている。こちらの種は昼に葉や花の上で活動しているようなので、ヨロイモグラゴキブリを見つけ終わってから熱帯雨林を探索すれば、出会うのはそう難しくないだろうと思う。

難関なのはゴウシュウゴキブリ属である。キンイロゴウシュウゴキブリ *Polyzosteria mitchelli* をメインで探すが、この仲間であればどの種でもいいので出会ってみたい。パース周辺で探すのだが、時間の都合上、初日の夜と次の丸一日しか探すのに使えない。地上や植物の上を徘徊しているのだが、情報が少なく、見つけられるイメージが湧かない。この短時間で見つけるのは至難の業だ。

ワクワクした気持ちと見つけられるか不安な気持ちを抱えながら飛行機に乗り込んだ。オーストラリアの旅の幕開けである。

オーストラリアにやってきた

オーストラリア・ケアンズ空港（図3-3-3）に到着後、レンタカー屋さんが開くまで少し待機し、タクシーでレンタカー屋さんに向かう。返却時の説明や空港までの帰り方を聞いた後で車に乗り込み、早速ヨロイモグラゴキブリのポイントへ向けて出発した（図3-3-4）。

ヨロイモグラゴキブリが生息しているのは、ユーカリやアカシアの仲間が生えた林の中である。ただ、そこら辺を走っているわけでも、落ち葉をどければ見つかるわけでもない。彼らが住んでいるのは林の地下なのだ。つまり、見つけるには土を掘り起こす必要がある。初めてのゴキブリ採集方法である。

ケアンズではヨロイモグラゴキブリが最大の目標である。そのため、見つからないからといって他のポイントに行くわけにはいかない。どうしても見たいのだ。見つかるまで明日も明後日も同じ場所に通う覚悟だ。

「何となく、午前中で見つかる気がします」

「いやぁ〜、けっこう大変です

図3-3-3　ケアンズ空港。オーストラリアについに来た

図3-3-4　オーストラリアの熱帯雨林が見える

よ」

私の言葉に、モトさんは苦笑いでそう返した。

天気は雨と晴れを繰り返している。当時のケアンズは雨季で、非常にたくさんの雨が降る季節だった。マレーシアでもそうだが、雨季は昆虫が多く、賑やかな時期でもある。できれば雨が降っていないほうが探索しやすいが、この雨が多くの虫と出会えるカギだと思えば憎くはない。

ポイントに行く前にホームセンターに寄り、スコップを探す。ヨロイモグラゴキブリを探す際は穴を掘る必要があるが、シャベルを日本から持っていくのは大変だ。荷物料金もただではない。そのため、掘るための道具は現地調達する。

「スプーンみたいなのがあると便利です」

モトさん曰く、巣穴を見つけたときに穴の場所を見失ってしまわないように、スプーンを刺してからスコップで削いでいくように掘るといいという。

「小さいシャベルじゃだめですか？」

「前回買ったんですけど、あまり使わなかったんですよね」

そうか、ではスプーンをと思って手に取ろうとすると、まぁまぁな値段がする。結局、プラスチック製の細長いシャベルを購入した。

図3-3-5　ヨロイモグラゴキブリが生息している乾燥林

さぁ準備は整ったということで、いよいよヨロイモグラゴキブリが生息しているというポイントに向かった。

ポイント近くの建物に寄り、土地を所有している方に挨拶をして、ゴキブリを探す許可を得る。「スコップは持ってる?」と聞かれたので「持ってます」と答えた。オーストラリアに来てスコップまで用意してゴキブリを探す日本人を見てどう思っただろうか。

車に乗ってポイントまで移動。五分もせずにヨロイモグラゴキブリが住んでいる場所に到着した。

細めのユーカリやアカシアが生育しており、下草にはキク科植物やイネ科植物が生育している。林内は明るく、落ち葉がたくさん積もっている(図3-3-5)。

この乾燥林の中に、あのヨロイモグラゴキブリがいるのか。そう思うと胸が熱くなる。ついに来たのだ、彼らの生息地に。

「ここで、穴を見つけたら掘っていく感じです」

「ここに彼らがいるわけですね」

「そうです。この三日月型のユーカリを食べているみたいです」

見てみると、湾曲した細長い落ち葉が足元にある。これがユーカリの落ち葉である。ユーカリといってもたくさんの種類があるようで、ヨロイモグラゴキブリはそのなかの一部を利用しているようだ。実際、昆虫館で植えていた、丸い葉のポポラスという種のユーカリを乾燥させて、飼育しているヨロイモグラゴキブリに与えたことがあるが、何日経っても食べることはなかった。ユーカリだからといって何でもいいわけではないのだ。

生息地を見るのも目的であるため、ここに降り立った時点で、目標の半分はクリアできたようなものだ。あと半分はヨロイモグラゴキブリ掘りの腕にかかっている。

早速、探索を開始する。落ち葉をどけて林床を確認すると、土というよりも細かい砂だ。こんな場所にいるのかと驚く。スコップで試しに掘ってみると、幸いそこまで硬くない。木の根さえ避けることができれば、サクサクと掘り進めることができる。

歩きながら、怪しい穴がないか探していく。すると、地面のところどころに直径三センチほ

図3-3-6　見つけた穴たち。どれも先が続いていない

どの穴が空いているではないか。これはすぐに見つかるのでは？

しかし、もちろんそうはいかなかった。穴はあるものの（図3-3-6）、先が続いていないのだ。指を入れてみると、だいたいの穴が指の届く範囲で止まっている。ヨロイモグラゴキブリが試し掘りした場所なのか、それとも他の生き物が掘った場所なのかわからないが、よくない穴ばかりが見つかる。それでも掘ってみるものの、やはり先は続いていない。

話に聞いていた通り、難しい。

モトさんの言った通り、これは苦戦しそうである。引き続き、穴を探していると、地面に見慣れた暗赤色の物体を見つけた。ヨロイモグラゴキブリの死骸である（図3-3-7）。

中身はなく、外骨格だけがきれいに残っている。

図3-3-7　ヨロイモグラゴキブリの死骸

「死骸がありました」

少し離れた場所にいたモトさんに声をかけると、「どこですか?」とこちらに向かってきた。

「これです」

「あー本当ですね」

死骸があるということは、近くに生息していたということだ。そう思ってあたりを探してみる。すると、イネ科植物の根際に、怪しい穴を見つけた。覗き込んでみても奥は見えない。指を入れても奥に触れず、先に続いているようだ。

ついにヨロイモグラゴキブリの穴か!

興奮しつつ、持っていたシャベルで掘ってみることにした。明らかに先ほどまでの穴より奥に続いている。これは当たりではな

図3-3-8　ヨロイモグラゴキブリのフン。これがあれば彼らは近い

いか？　この先に彼らがいるのではないか？　気分は宝さがし。楽しくて仕方がない。

しかし、この穴もすぐに行き止まりとなってしまい、ヨロイモグラゴキブリを見つけることはできなかった。

穴を見つけては不発、穴を見つけては不発を繰り返し、二〇分ほど経過。モトさんと移動しながら探すも、いまだによさそうな穴は見つからない。林内をさまよっていると、ふと、他の場所に比べて少し踏んだ感触がやわらかい場所を見つけた。

「ここ、なんかフカフカしていますね」

モトさんに話しかけつつ、シャベルで数回掘ってみると、土の中から黒い粒が数個出てきた（図3-3-8）。もしやと思って手に取ってみると、ヨロイモグラゴキブリのフンではないか！　ヨロイモグラゴキブリは特徴的なフンをする。よくヒマワリのタネに例えられる形で、飼育しているケースの中で何度も見てきた。間違いない。

ここはまさにヨロイモグラゴキブリの巣なのではないか。すぐにモトさんに伝え、掘り進めることに。

スコップとシャベルを使いながら進んでいく（図3-3-9）と、ところどころでフンが見つかる。やはりこれはヨロイモグラゴキブリの巣に違いない！

掘っていくと、奥へと続く巣穴を見つけることができた。どうやら巣穴の途中から掘りはじめたようで、どちらが奥か入り口かわからない。

図3-3-9　巣穴を掘っていく。スコップを使って地面を縦に削ぐようにして、だんだんと進んでいく

下方に向かっているほうがおそらく奥だろうと予想し、穴を見失わないように慎重に進んでいく。掘っては穴に手を突っ込み、中に何かいないか探る。

数分ほど掘り進んだところで、太めの根が出てきた。穴はその下を通っているようだ。切断は難しいので、根をまたいで先を掘り進める。

しかし、求めている姿は一向に現れない。そこで一度、入り口方向に向かって掘り進めていくことにした。見かけ上、入り口に見えていただけで、こちらが奥かもしれない。ガシガシと掘っていく。そのときだった。根の下を通る穴の中で、何かが動くのが見えた。

「いたいた！　なんかいました！」

暗赤色のそれはヨロイモグラゴキブリの色にそっくりであったが、少し小さい気がした。しかし、すぐに奥に引っ込んで見えなくなってしまった。

もしかしたらヨロイモグラゴキブリの幼虫か？

抑えきれない興奮をシャベルに込め、掘り進む。穴の先にいないかと手を突っ込んで掘っていく（図3-3-10）と、指に硬い何かが触れた。その何かは明らかに動いている。しかも、デカい。

指先で硬い「何か」の上を掘り、思い切ってガシッと掴む。そして穴から引っ張り出すと、それはヨロイモグラゴキブリのオス成虫であった（図3-3-11）。

腹の底から沸き立つような声をあげる。

ヨロイモグラゴキブリを探しにオーストラリアに来たとい

図3-3-10　ヨロイモグラゴキブリの巣穴に手を突っ込む著者

図3-3-11　ついに発見！　ヨロイモグラゴキブリ

っても過言ではなかったが、どこか見つけられるイメージが湧いていなかった。まさか本当に出会えるとは。

時計を見ると、開始から三〇分ほどしか経過していない。冗談半分で午前中に見つけられそうなんて言っていたが、実現するとは思ってもみなかった。

あらためて、見つけ出したヨロイモグラゴキブリを観察する。前胸背板は反り返り、暗めの赤色がルビーのように美しい。動きは飼育している個体よりも機敏に感じる。手の中でモゾモゾと動く感触がたまらない。穴を掘るために発達している肢で皮膚を押しのけられるので痛いくらいだが、それがうれしくてたまらない。これが野生のヨロイモグラゴキブリなのだ。

図3-3-12　ヨロイモグラゴキブリの巣内にいた小型のカブトムシ

この個体は成虫で、先ほど見た個体とは違うようだ。とすると、この先にまだ別の個体が潜んでいるということになる。見つけた成虫を容器に入れて逃げないようにしておき、探索を続けることにした。

モトさんと協力しつつ穴を掘っていくと、巣の中から小さな虫が出てきた。ヨロイモグラゴキブリの幼虫か⁉と思って手に取ってみるが、違う。色も艶もヨロイモグラゴキブリそっくりではあるが、これは小型のカブトムシだ（図3-3-12）。

モトさんとカブトムシを観察し、ヨロイモグラゴキブリの巣から出てきたことも考えると、もしかしたらヨロイモグラゴキブリの巣を何らかのかたちで利用しているカブトムシなのではないかという話になった。

どのような関係があるのか、はたまたまったく関係なく、たまたまそこにいただけなのか。非常に気になる。

こちらも一度捕獲し、詳細に撮影することにした。現段階では種類がわからないため、日本に帰ってから種を判別する際の手掛かりにするためだ。

続けて掘り進めていくと、穴はだんだんと上に向かい、ついに地表に繋がった。最初に掘っていたのが巣の奥というのは間違いではなかったらしい。巣の途中から掘りはじめてしまったので、中にいたヨロイモグラが入り口方向にいただけのようだ。

ヨロイモグラゴキブリの生息環境

ヨロイモグラゴキブリの巣がピンポイントでわかったため、生息環境も記録する。ヨロイモグラゴキブリ自体は、日本でも飼育個体を見ることができる。もちろん野生で見たほうがうれしいし感動も大きいのだが、得難いのは、虫ではなく、むしろ生息環境の情報だ。どこに、どんなふうに、どうやって暮らしているのか。これは生息地でしか見ることができない。

ひとつずつ詳しく見ていく。巣穴の近くから砂を採集し、巣の中から出てきた植物も丁寧に確保。まずは土壌の状態を観察していこう。

砂の粒は細かく、触るとわかるほどに湿っている（図3-3-13）。掘り出してしまっているので

図3-3-13　土壌の拡大写真。砂に近い

わからないが、巣内の湿度もかなり高いだろう。乾季になると湿り気に変化が出ると思うが、それはまたの機会に確かめたいところだ。

このために買ったpH測定器を地面に挿し、三〇秒ほど待つ。土壌学は専門ではないので真似事でしかないが、飼育環境を再現する際に土壌の情報は役に立つ。

示されたpHは七だった。中性である。説明書には何度か場所を変えて測定して平均を出せと書いてあったので、近くで何度か測定するも、六〜七の値を示した。

続いて、ヨロイモグラゴキブリが巣に引き込んでいた植物を見ていく（図3-3-14）。まず一番目立つのがユーカリの枯れ葉だ。葉だけでなくユーカリの果実もそこそこ出

図3-3-14　巣内にあった植物たち

てきた。他にはキク科植物の穂や針葉樹の葉などが見つかった。ユーカリの落ち葉には齧った痕があり、食べていることがわかる。他の植物については食べているかどうかまではわからなかったが、飼育下のヨロイモグラゴキブリはさまざまなものを食べるので、その可能性はあるだろう。

次はフンを見てみる。大小二つの大きさのフンがある。大きいほうが成虫で、小さいほうが幼虫だろう。どちらも形がしっかりしていて、最近のフンと思われるので、家族で生活しているのかもしれない。となると幼虫も近くにいそうなものだが、この先は穴がなく見つかりそうもない。もしや、もう一人立ちしてしまった後なのかもしれない。

ヨロイモグラゴキブリの巣を前に、できる限りデータを集める。楽しい。楽しすぎる。

図3-3-15　ヨロイモグラゴキブリの成虫ペア（右がオス、左がメス）

ある程度やり切ったところで、ふぅと息をついた。

「じゃあ、掘ったあとを戻して、別の場所を探しましょうか」

「ここ、もういないですか？　この穴の先とか」

モトさんが、最初に掘っていた方向を指しながら言う。なるほど、忘れていたが、最初に掘っていたほうが奥なのだ。先ほど幼虫のフンもあったし、たしかに、まだ奥にいるかもしれない。

「なるほど、もう少し掘ってみましょうか」

というわけで、もう少し奥を追ってみることにした。

砂を掘り続け、穴に手を突っ込んで何か

図3-3-16　見つけたヨロイモグラゴキブリたち

いないか探ることを繰り返していると、またも手に何かが触れた。掴んで引っ張り出してみると、またヨロイモグラゴキブリではないか。ここからがすごかった。どんどんヨロイモグラゴキブリが出てくる。おそらく複数の巣を掘り当てたようだ。穴が続くまで掘り続け、なんと十二匹ものヨロイモグラゴキブリを見つけることができた（図3-3-15、16）。また、あの小型のカブトムシも二匹目を見つけることができた。

オーストラリア最初にして最大の目的が大成功を収めた。掘り続ければまだまだ見つかりそうではあったが、あまり掘り続けて環境を壊してもよくないだろうということで、探索は終了。オーストラリアから生き物を持ち帰ることはできないため、見つけた個体は元の場所にリリース。掘った穴を元に戻し、ホクホクした気持ちでポイントを後にした。

夢中になって巣穴に手を突っ込んでいたが、オーストラリアにはサソリやヘビなどの危険な生き物が生息しており、穴の中に潜んでいることもある。少し不用心だったかなと車の中で思った。二重の意味で、穴の中にいたのがヨロイモグラゴキブリで本当によかった。

図3-3-17　地表近くで見つけたヨロイモグラゴキブリ

今回、実際にヨロイモグラゴキブリの生息地を訪れ、わかったことは次の通りだ。

①ヨロイモグラゴキブリが生息している林は地面まで明るく、イネ科やキク科の植物などの下草が多く生えている。ユーカリの落ち葉も多い。
②地面は、土というより砂に近い。
③土壌のpHは六〜七で中性だった。
④地表から二十センチメートルほどの浅い場所でも見つかった（図3−3−17）。
⑤巣内からはユーカリの落ち葉だけではなく、ユーカリの果

図3-3-18　白い背景で撮影した*Dasygnathus blattocomes*

実、キク科植物の花序や針葉樹らしき葉も見つかった。ユーカリだけではなく、さまざまな植物質を食べている可能性がある。

生息地を訪れ、生活環境ごと観察する。これは生き物を知るうえでとても重要なことだ。

カブトムシの正体

ヨロイモグラゴキブリの巣穴から発見したカブトムシを撮影し、甲虫に詳しい柿添さんに写真を送って見てもらうと、*Dasygnathus blattocomes*という種であると教えてもらえた（図3-3-18）。私たちが予想した通り、本種はヨロイモグラゴキブリの巣穴で見つかるようで、なんらかの関わり合いがあるようだ。柿添さんに送っていただいた論文を見ると、同じ巣から一ペア見つかることが多いらしい。しかし、今回見つけた二個体はどちらもメスであった（オスは小さいツノをもち、上翅に粗い点刻列を持つ）。ぜひオスも見てみたかったが、それは次の機会を待つとしよう。

こうした「隣人」は、飼育下では見ることができない。生き物は他の生き物と関わり合って生きている。その種を理解しようとするには、生息環境や近くにいる生き物を知ることも重要なのである。やはり生息地を訪れることは大切だ。そう感じた。

ユーカリゴキブリ

オーストラリアに来てから三日が経過し、南西部にあるパースへ移動する日が近づいてきていた。

第一目標であったヨロイモグラゴキブリを無事に見つけることができ、カモノハシやオオルリアゲハなどの、ゴキブリ以外の生き物も多く観察できている。非常に楽しいのだが、満足したかと言われると、そうではなかった。ヨロイモグラゴキブリ以外のゴキブリをあまり見つけられていなかったのだ。

オーストラリアは雨季真っ盛りで、雨が降ったりやんだりが激しく、ゴキブリを観察するチャンスが少ない。しかも、宿の方曰く、ここ数年のなかでは雨量が一番多いらしい。世界最大のガ・ヘラクレスサンや、ＣＭで一世風靡したエリマキトカゲなどなど、オーストラリアならではの生き物はこれでもかと観察することができた。しかし、心がまだ満たされない。やはりゴキブリだ。ゴキブリが見たいのだ。

特に、目的としていたユーカリゴキブリの仲間に出会えていないのが予想外だった。森で探索していれば見つかると思っていたが、どうもそう簡単ではないらしい。

オーストラリアに来てから四日目の昼、モトさんと二人、どこに行こうかと悩んでいた。ゴキブリ屋からすると、昼は採集がしにくい時間である。ゴキブリは多くの種が夜行性で、昼は樹皮の隙間や落ち葉の下に潜んでいる種が多い。見つけられないわけではないのだが、難易度は上がる。かといって寝て夜を待てばいいなんて、私の中の生き物屋魂が許さない。せっかく魅力的な生き物がひしめくオーストラリアに来ているのだ。睡眠時間を削って命の前借りをしてでも、生き物探しをしていたい。

そんなわけで、Googleマップを使い、車で入れそうで、私有地ではない、かつ、虫がいそうな場所を探す。一か所、他とは環境が違う湿地のような場所を見つけたので経路を見てみると、車で二〇分ほどの場所だった。モトさんに「ここに行ってみましょうか」と声をかけ、とりあえず向かってみることにした。

国際免許を持ってきているにもかかわらず、運転はずっとモトさんがしてくれている。申し訳なさとありがたさが混在した気持ちがあるが、小心者なので、車通りの多いところでは交通ルールがわからず、事故を起こしてしまいそうで怖い。一度、車が少ない場所で「運転代わりましょうか？」と聞いてみたが、「まだ大丈夫ですよ」と言われてしまった。結局、最後までモトさんが運転してくださった。感謝しかない。

大きな道路を曲がり、目的地に向かっていくと、途中から舗装されていない道路になった。さらには、橋が架かっているにもかかわらず、川の水がそれを越して冠水している状態の場所を抜ける。この先、大丈夫なのか？　と不安に思っていると、何やら看板が見えてきた。どうやら行き止まりとなっているようだ。

目指していた目的地までは到達できそうにないが、せっかくここまで来たので、車を降りて近くを探索してみることにした。少し虫を探してみると、トンボの仲間が何種か飛んでいる。地面はかなり湿っており、気をつけないと靴が水浸しになってしまいそうだ。

あまりゴキブリはいなさそうだが、湿地にはオーストラリア固有の食虫植物などがあるかもしれない。そう思いつつ探索してみるが、それらしきものは見当たらなかった。唯一、日本のデンジソウによく似た植物を見つけることができた。

その他の生き物を探してみるものの、アリやハエの仲間は見つかるが、「この種は！」という生き物は見当たらない。トンボの撮影をしよう。そう思い、少し移動してイネ科植物にトン

図3-3-19　イネ科植物の葉の上にとまっているユーカリゴキブリ属の一種（オス）

ボが止まっていないか探しはじめた。すると、葉の反対側に一センチほどの影が見えた。ん？　と思って角度を変えてみると、そこに探し求めていたユーカリゴキブリの一種 *Ellipsidion* sp. の姿があるではないか！

叫んでしまいたくなる気持ちを抑えて、ゆっくりと後退する。軽い気持ちで何かいないか見ていただけなので、カメラを車に置いてきてしまったのだ。

ゴキブリに気づかれないように道路に戻り、慌てて車まで走る。カメラを探してレンズを変えて、個体を見つけた場所まで急いで戻った。慌てて戻ったせいもあってか、どこにいたかわからなくなってしまったが、一度落ち着き、丹念に探すと再度発見することができた（図3-3-19）。

図3-3-20　メス。オスに比べて色が淡い

観察してみると、なんと美しいゴキブリだろうか。

一番驚いたのが大きさだ。私はてっきり、もっと大きなゴキブリを想像していた。しかし、実際はその半分ほどの大きさしかない。

よく見てみると、近くのイネ科植物にも何匹かついているではないか。濃い色の個体と薄い色の個体がいるが、体形がそれぞれ違うことから見るに、色が濃いほうがオス、薄いほうがメス（図3-3-20）のようである。

葉の上で静止している個体もいれば、忙しそうに動いている個体もいる。止まっていたほうが撮影しやすいので、一個体に狙いを定めてゆっくりと近づく。

しかし、その個体はこちらの動きに敏感に反応し、走り出したのちにポロッと下に落ちてしまった。草がたくさん生えていて、到底見つけられそうにない。これはなかなか難しい。新たに見つけた個体に、先ほどよりも慎重に近づく。止まっている草を揺らさないように、影を落とさないように注意が必要だ。

前かがみの体勢になりながらも、どうにか数枚収めることができた。

周辺を探して、見つけられた個体数は十匹以上。先ほどまでまったく見つからなかったゴキブリだが、いるところにはまとまっているようである。ただ、どの個体も動きが素早く、すぐに逃げてしまう。大きさがわかるように写真を撮りたいのだが、手に乗せようにも簡単にはいかない。捕まえても、パニック状態になってしまって、手の上で止まってくれない。落ち着かせたまま乗せるのが難しいのだ。

何度か捕まえて手のひらに乗せようとしたが、やはりうまくいかない。こうなれば根比べだ。イネ科植物上を歩いている個体の進路に指先を置いて、自ら乗ってくれるのを待つことにした。息を殺し、手がぶれないように必死で止める。小さなハエが目の前を何度も飛んで集中力を削ってくるが、ぐっと耐える。

二分ほどしたころだろうか。実際はもっと長く感じたが、動いたり止まったりしていた個体がついに、私の手に乗った（図3-3-21）。ゆっくりと手を引き、撮影する。捕まえたときと違い

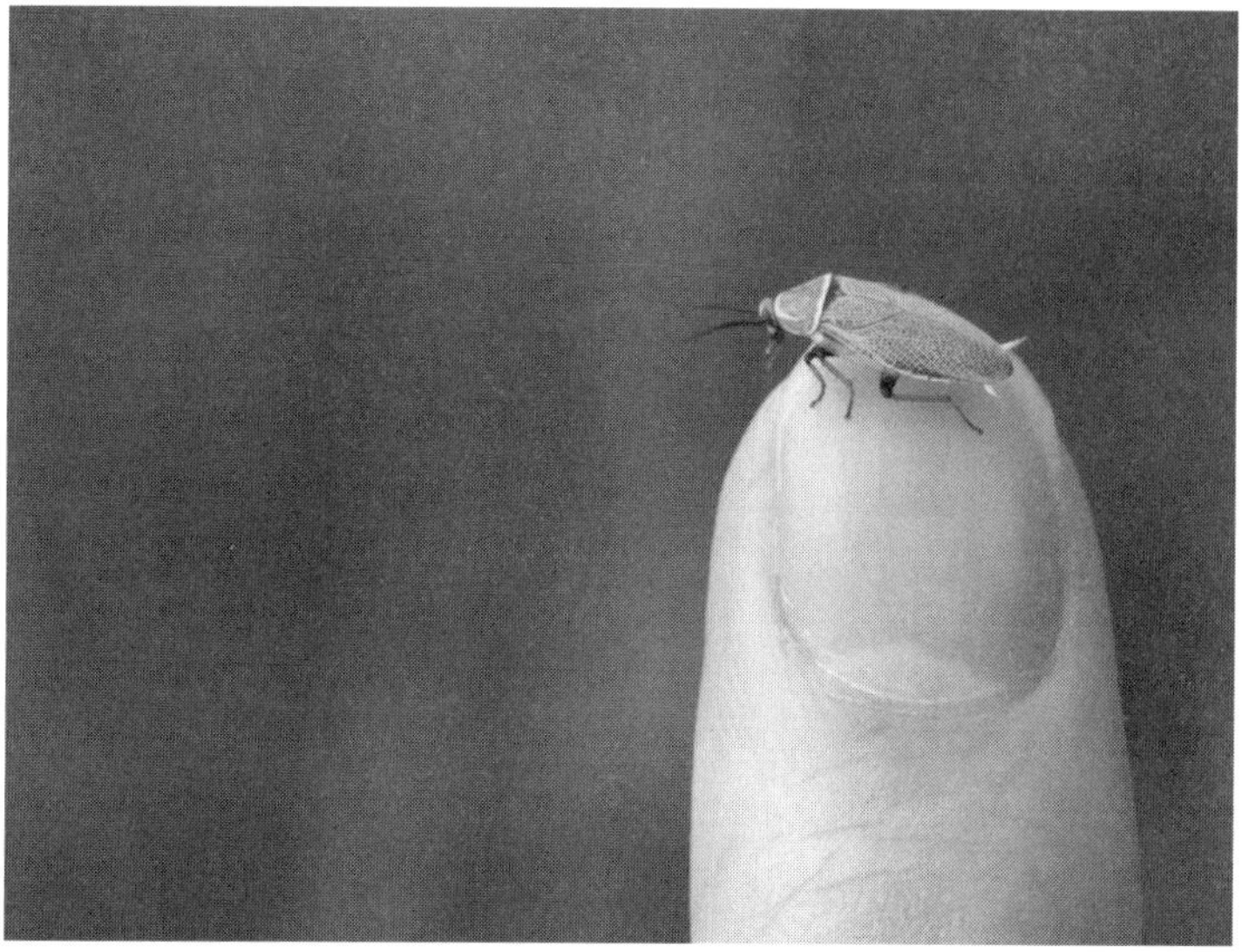

図3-3-21　指に載せて撮影。こんなに小さいとは思わなかった

ゆったりとした動きなので、いくらでも撮影できる。モトさんも近くにはいなかったので、まるでアイドルの撮影会のように「触角の角度いいね」「視線ください」と声をかけつつ、何十枚も撮影してしまった。

いい写真がいくつも撮れたところで、協力していただいた個体に別れを告げた。

いくら探しても見つからないのであれば、環境を変えてみるのも重要だと教えられた気分だ。

明日は直線距離にして約三五〇〇キロメートル移動し、パースでのゴキブリ探しが始まる。見つけられるだろうかという不安感よりも、どんなゴキブリに出会えるだろうという高揚感が勝っていた。

金属と見間違うほどの輝き・ゴウシュウゴキブリ

魅惑のゴウシュウゴキブリ

オーストラリアの旅も残すところ二日となった。私たちはクイーンズランドのケアンズ空港から出発し、メルボルン空港を経由してパース空港に降り立った（図3-4-1）。パースはケアンズとは対角にある。オーストラリア国内での移動だというのに、七時間ほどの長旅である。

図3-4-1　パースへ移動中の飛行機から見えた景色。雄大な台地が続いている

そんな遠い地のパースに、わざわざ少ない日程を割いて降り立ったのには理由がある。

ゴウシュウゴキブリ属のゴキブリだ。本属のゴキブリにはさまざまな種がいるが、顔ともいえる種はキンイロゴウシュウゴキブリである。第一の目標はキンイロゴウシュウゴキブリに据えていたが、どの種も見つけにくいようなので、本属のゴキブリに一種でも出会えれば最高である。彼らはオーストラリアでも南西の地域にしか分布していない。どうしても見たかったゴキブリなので、短い旅のなかで無理矢理ではあるが、パースを予定に組み込んだのだ。

パースはケアンズと違って森林はあまりなく、乾燥した砂漠環境が続いているらしい。モトさんも初めての地とのことで、虫探しをできるところから探していくことになる。

到着してレンタカーを借り、とりあえず宿に向かう。宿についたのは二一時。ここでトラブルが起きた。すでに宿が閉まっており、受付の方がいないのだ。掲示されている電話番号にかけるも、応答がない。

これは困った。遠い異国の地で、宿なしである。

しかし慌てても仕方ない。いざとなれば宿の前にある駐車スペースに車を止めて、車内で寝ればいいだろう。右往左往していても時間がもったいないので、とりあえずポイントに向かうことにした。

初日夜のポイントは砂浜である。キンイロゴウシュウゴキブリの目撃情報があるポイントで、他のゴウシュウゴキブリ属が見つかってもおかしくない。

ポイントに着いて早速ヘッドライトを装着。探索を開始する。ヨロイモグラゴキブリで気をよくしていたこともあって、「すぐに見つかってしまったりして」なんて思いながらの探索だ。

上翅にトゲのようなものが生えたヘンテコなゴミムシダマシ（図3-4-2）、目がまっ黄色のヤモリ（図3-4-3）など、さまざまな生き物が目に入る。同じ国とはいえ、かなり距離が離れていて

図3-4-2　ヘンテコなゴミムシダマシの一種

図3-4-3　まっ黄色の目をしたスピニゲルスイシヤモリ*Strophurus spinigerus*

図3-4-4　*Pseudonaja affinis*。現地ではドューガイトと呼ばれる猛毒のヘビである

環境も違うため、ケアンズとは生き物の相がまったく違う。

楽しみつつ本命のゴウシュウゴキブリ属を探すが、なかなか見つからない。砂浜にある草むらが怪しいなと思い、ガサガサと踏み込んでいく。驚いて出てこないだろうかと目を凝らしていると、あと一歩先のところに、ヘビを見つけた（図3-4-4）。草の間から体が見える。オリーブ色をした地味な見た目だ。オーストラリアは毒ヘビが多く、こういった地味な体色の毒ヘビも多くいる。気づかずにあと一歩踏み出していたら危なかっただろう。

写真を数枚撮影して、木の枝でつつくと、ゆっくりと消えていった。不用意に草むらに入らないほうがよさそうだ。近くをよく

図3-4-5　バーディック*Echiopsis curta*。ゴキブリを食べることもあるようだ

見てみると、黒くて小さいヘビも見つけた（図3-4-5）。こちらはどうやら生まれたばかりのようで、十センチメートルほどしかない。こちらも撮影して、その場を離れた。後ほどヘビに詳しい田原さんに見てもらったところ、オリーブ色をしたヘビは現地でドューガイトと呼ばれる種で、ブラウンスネークの仲間である。もし踏んでいたら命の危険もあったようだ。黒くて小さいヘビはバーディックという種で、田原さんらが執筆した『毒ヘビ全書』（田原ら、二〇二〇）によると、ゴキブリ類を捕食することもあるという。ゴキブリはさまざまな生き物のエサとして利用されているが、まさかヘビのなかにもゴキブリをエサとして利用する種がいるとは知らず、驚いた。まった

く予想していなかった成果を上げることができ、とても満足である。

しかし、この日は最後までゴウシュウゴキブリ属を見つけることはできなかった。明日に一縷の望みをかけ、ポイントから上がることにした。

楽しかったフィールド探索を終え、宿に戻る。だがしかし、中には入れない。もう仕方ないだろうということで、車内で寝ることにした。すぐそこには柔らかいベッドがある。そんなことは考えてはいけない。

明日こそは。瞼の裏に憧れの姿を見ながら、眠りについた。

リベンジの昼

翌日。朝起きると、宿の人が出勤したようで声をかけてくれた。私はまだ半分寝ていたのだが、モトさんがここに泊まる予定だった者ですと話をしてくれて、ようやく宿に入ることができた。代表の方なのか、女性がわざわざ謝りに来てくれたが、いいえいえと返した。正直、あまり気にしていない。旅にトラブルはつきものなのは承知のうえだし、それがまた旅をおもしろくすることもある。今日の寝床とシャワーが確保できただけありがたい。

休憩もそこそこに、荷物を整理して、早速、採集に向かうことにした。今日向かうのは、宿から南に向かった、低木がまばらに生える疎林である。狙いはもちろんゴウシュウゴキブリ属とにする。

だ。彼らは昼に活動している個体もよく発見されているので、気を引き締めて探していくことにする。

パースの景色を眺めながら移動。まず到着したのはアウラタキンイロクワガタのポイントである。モトさんはキンイロクワガタの仲間が好きとのことで、探してみようということになった。しかし、時期が少し遅かったようで、探しても見つからない。ゴキブリもあまりおらず、初回のポイントはスカとなってしまった。時間がないこともあり、早めに切り上げの判断をして、次のポイントへ向かう。今度は、キンイロゴウシュウゴキブリが見つかっているポイントだ。

図3-4-6　パースの環境。唐突にカンガルーが出てくる

移動している途中、何となく、ここは虫が多そうだという場所を見つけ、探索してみるも成果は得られず、二〇分ほどで探索を終了し、本来の目的であるポイントへ移動した。

ポイントに到着。モトさんは仕事が溜まっているそうで、車内に残ってパソコン作業をするとのことだったので、私一人で探索することになった。

カメラを持っていざ出発。低木の多い乾燥環境だ（図3-4-6）。

昨日の夜も先ほどもそうだったが、パース周辺はトゲをもった植物が多く、あちこちに刺さって痛い。引っかかって無理に進もうとすると、服がどんどんボロボロになってしまう。もともと服にこだわりなんてなく、ある程度しっかりしているものであれば何でもいいという、おしゃれさ皆無で服に未練もない私であるが、ここで服がなくなると着て帰る服がなくなってしまうので、さすがに困る。気をつけて進むものの、それでも腕や足、そして服はボロボロになっていく。

また時折、大きなカンガルーが藪から現れるので驚く。カンガルーというと、いつだったか格闘するカンガルーをテレビで見てから、そのイメージが強く、出会う度に強烈なパンチやキックをお見舞いされないかと不安になる。一人でカンガルーとバトルすることになったら、目を狙うのがいいのか、それとも頭か、そんな余計なことを考えてしまう。しかし、比較的穏健派が多いのか、目が合うとすぐに飛び跳ねて逃げていく個体ばかりなので助かった。なんて、余裕をこいていたから、痛い目に遭うことになる。このとき、私はすっかり忘れていたのだ。カンガルー、つまり大型動物がいるのであれば、彼らがいるのも当然だということを……。

小さな危険

ゴキブリどころか昆虫自体をほぼ見かけることなく、車がある場所に戻った。

「どうでしたか？」

ドアを開けると、パソコン作業をしていたモトさんが手を止め、こちらを向いて痛い質問を投げかけてきた。

「うーん、いそうではあるんですけど見つからないですね。そもそも虫があまりいません」

「そうですか、難しいですね」

「どこにいてもおかしくない感じはするんですけどね～」

ズボンについた植物の破片を払う。植物のトゲがたくさんズボンに突き刺さっていた。

「どこにいるのかな～」

記録もある場所で、雰囲気としても悪くないように思う。単純に個体数が少ないのか、時期の問題なのか、何ともいえない。

「うーん」とうなだれる。だが、このときはモチベーションが保てていたのでまだよかった。

それからすぐに、私のやる気を地の底まで落とす彼らの存在に気づいた。

それはダニである。

最初は気づかなかったが、ズボンやシャツに赤くて小さなダニがついているのを発見した。

一匹ずつ取っていくが、まったく終わらない。冗談ではなく、合計百匹以上ついていた。最初は、噛まれていないので少し安心していたが、服をめくって確認していたら、腹や足に食い込んだダニも見つかりだした。これはまずい。ダニは最悪の場合、死に至る病気を媒介する。

よく考えれば、カンガルーのような大型動物が歩き回っている場所で、彼らがいないほうがおかしい。対策をしていなかった私に落ち度がある。

かなり真っ青な気分になり、ゴキブリ探しのモチベーションが下がってしまった。

「モトさん、今日はもう、夜に備えましょう」

今ついているダニを落としたとしても、探索するためには藪に入る必要がある。何の対策もしないままだと、また取りつかれるのがオチだ。ちょうどお腹も減ってきていたし、いったん区切りとすることにした。

服を着替え、靴や体に虫よけスプレーを吹きかける。沖縄や海外の遠征ではダニやツツガムシの被害に遭う可能性があるため、私はこれらの生き物にも有効な虫よけを愛用している。ディートという忌避成分を含有した虫よけスプレーだ。肌が弱い人だと肌荒れしてしまうこともあるため注意が必要だが、私は特に違和感をもったことはないし、何より今はそんなことを気にかけている場合ではないため、顔以外の全身にまんべんなく塗る。腹や足に食いついたダニはダニ取りピンセットで取り、再度取りつかれないように処分する。脱いだ服は何重にも袋に入れて、その中にも虫よけスプレーを吹きかけた。これでダニの脅威からは解放されたはずだ。

身支度をして、少し休む。夜はモトさんが持ってきてくれたライトトラップをどこかで行な

図3-4-7　遠くにいたエミュー

う予定だが、まだ少し時間があるため、もう一つのポイントに行ってみることにした。さすがにそろそろ見つけないと厳しい。移動中にエミューを数羽見ることができて多少気がまぎれたが（図3-4-7）、やはりゴキブリが見たい。

夕日とカラスとカンガルーの骨

頭がゴウシュウゴキブリ属のことでいっぱいになる。わざわざパースまで来て、見つけられないとなったらつらい。

新しいポイントを訪れても、そんなことばかり考えてしまう。

地面にはところどころにカンガルーの骨が転がっている（図3-4-8）。最近のものと思われるほぼ全身の骨格が残ったものから、

図3-4-8　カンガルーの骨がたくさん見つかる

かなり昔に白骨化したであろう破片まで、じつにさまざまだ。カンガルーほどの大きな動物になると、死骸は周辺に住む生き物にとって重要な資源になることだろう。ゴキブリも利用しているに違いない。

ゴウシュウゴキブリ属もカンガルーの死骸を食べたりするのだろうか。まだ肉のある死骸をつついて確認してみたが、ゴウシュウゴキブリ属はおろか、虫さえついていなかった。少し乾燥していたので、もう遅かったのかもしれない。また、先日までいたケアンズと違って、パースの現在は乾季。虫がそもそも少なく、死骸もすぐに乾燥してしまうのかもしれない。

うーん、なかなか難しい。日光が降り注ぐなか、探索を続けるしかなかった。

図3-4-9　青とオレンジ色のグラデーションが目に鮮やかに映る

あっという間に時間が過ぎ去り、遠くから「アァー」という間の抜けたカラスの鳴き声が聞こえてきた。オーストラリアのカラスは変わった鳴き声なんだな、と思って顔を上げると、オレンジ色に染まりはじめていた空が目に入った（図3-4-9）。見渡す限り広がる青い空が、地平線に向かってオレンジ色のグラデーションになっている。美しい。

下ばかり向いていたので気づかなかった。こんなに美しい場所で私は虫を探していたのか。

一つ呼吸をする。意地になるのはやめよう。

あまりにもゴウシュウゴキブリ属に固執しすぎていた。オーストラリアには魅力的な生き物たちがたくさん生息している。ゴウシュウゴキブリ属だけに狙いを絞っていては、他の生き物に出会うチャンスを減らしてしまうかもしれない。半ば諦めのような感情であったが、オーストラリアの夕焼けを見ていたら、意地になるのもバカらしくなってきたのだ。

今夜はさまざまな生き物を観察して、オーストラリアを楽しもう。そう思った。

最後の夜

ライトトラップを設置する場所を探していたら、林縁部が伐採された、小高い丘を見つけた。株の切り口を見ると、最近伐採されたようだった。ここであれば、光が遠くまで届くだろうということで、設置場所をここに決めた。日が暮れはじめ、オーストラリア最後の夜が始まろうとしている（図3-4-10）。

今回モトさんが持ってきてくれたライトトラップは、車から電源を引くことができるので、窓を開けてコードを引っ張り、エンジンをつけっぱなしにする。最初は謎の不具合でライトが点灯せずに焦ったが、少しすると何事もなかったように点灯し、ほっと一安心。風が強いのが心配だが、見晴らしもよく、多くの虫が飛んできそうな場所だ。

虫が来るまで車で待機。しかし、いてもたってもいられなくなり、近くを探索することにした。モトさんに近くを探索してきますと告げ、道に沿って林縁部を探っていくことにする。

図3-4-10　オーストラリア・パースの夕日。これから運命の夜が始まる

伐採のためか、ところどころに重機で掘り返されている場所があり、鼻から空気を入れるとほのかに土臭い。ふと、オーストラリアの空気を吸うことができるのもあと少しなのだなと思った。

歩きはじめてすぐ、地面に落ちた枝に、何かがくっついているのを見つけた。これは！　と思ってすぐにしゃがむ。そこにいたのは*Eupolyzosteria sordida*だった（図3-4-11）。探し求めていたゴウシュウゴキブリ属ではないが、近い仲間で、姿かたちは似ている。ゴツゴツとした見た目が最高にイカしている、地表性のゴキブリだ。

「すごい、すごい」

語彙力はもともとないが、このときは輪をかけて、単調な言葉を繰り返すことしか

図3-4-11　*Eupolyzosteria sordida*。このゴツゴツとした質感。たまらない

できなかった。すごい。

写真を撮影しながら、しばらく観察。手に乗せたり、ひっくり返して雌雄を確認してみたり。散々付き合ってもらった後、いた場所に戻した。名残惜しいが、この先にいるだろう生き物たちに出会う楽しみもあるので、先に進むことにした。

このポイントはかなり環境がよく、さまざまな生き物に出会うことができた。ナナフシ、カマキリ、ヤモリ、そしてゴキブリもまだ見つけたことがない種を見つけ、非常に充実した観察である。

道はひたすらに続いており、ライトで照らしてみても、終わりがまったく見えない。どこまでも行けてしまいそうだ。来た道を振り返ると、遠くのほうでライトトラップ

図3-4-12　林縁で見つけたセアカゴケグモ*Latrodectus hasseltii*

の灯りが見える。暗いのでよくわからないが、相当進んできたようだ。

観察を開始してからすでに二時間半が経過した。少し早めに歩いたとしても、帰りに一時間半はかかってしまうだろう。時間を決めて引き返す必要がある。

あと三〇分進んで、そこで戻ろう。そう決めて、探索を続けた。

このポイントは本当に環境がよく、カエルやヘビも見つかる。一番胸を熱くしたのが、日本でも有名なセアカゴケグモである（図3-4-12）。本種は、日本では「外来種の毒グモ」として有名だ。原産地はオーストラリア。本来の生息地で暮らすセアカゴケグモを見ることができるとは思っていなかったので、うれしくて、じっくり観察しつつ、時間を忘れて撮影してしまった。

気づけば三〇分が経過。しかし、生き物がたくさん見つかりだしたこの段階でサクッと引き返すことができず、あと十分、もう十分と繰り返し、結局、最初に決めたより三〇分ほど多く進んでしまった。さすがにモトさんを待たせすぎているので、そろそろ戻らなければならないということで、ついに引き返しはじめた。

魅力的な生き物が多く現れるので、その度に撮影していたら、カメラのバッテリーがなくなってしまっていたというのも引き返す勇気をくれた一つの要因だ。車の反対側にもまだ道があったし、一度バッテリーを取りに戻って、反対側を探すのも悪くない。

行きは道の右側を探索していたので、帰りは左側を探索していく。右に比べると、伐採されている木も少なく、トゲのある植物が多く生えている。右側に比べると、あまりいい環境には見えない。それでもヤモリやカエルなど、ぽつぽつと生き物が見つかるので、さほど苦ではない。生き物を探している時間は楽しく、すぐに過ぎ去ってしまう。

あと二〇分もすれば車につくだろう、というところで、足元で何かが光るのが見えた。金属でも落ちているのかと思ったが、ライトで照らして全身に力が入った。

そこには銅色に輝く美しいゴキブリがいた（図3-4-13）。間違いない。ゴウシュウゴキブリ属のゴキブリである。

図3-4-13　ゴウシュウゴキブリ属の一種。金属光沢が素晴らしい

「お、おおおおお」

　半ばパニック状態になりながらも、カメラの電源を入れる。ここでバッテリーがないことを思い出したが、奇跡的に、電源が入った。しかし電池のマークが点滅している。電源を入れ直したことで、少しだけ起動したのだ。

　神が与えてくれたチャンス。無駄にはしないように、すぐさまストロボの設定も行なう。カシャ、カシャ、と数枚撮影したところで、危険を感じたのか歩きはじめてしまった。思っていたよりもずっと早い。草の中に隠れてしまったので、これ以上の撮影は断念。逃げられないように、道のほうにいったん誘導する。見失わないように注意しつつ、撮った写真を再生してみる。ギリギリかと思っていたが、どうにか写すことができていた。

「よし、よし！」

どうにか見つけることができた。達成感から、その場に座り込んで大きく息を吐いた。

オーストラリア最終日の夜。ついにゴウシュウゴキブリ属を見つけることができたのだ。

光り輝くゴキブリ

車に戻って開口一番、モトさんに見つけることができた報告をする。私が来るまで眠っていたようだったが、いやな顔もせず「やりましたね」と労ってくれた。

ちなみに、ライトトラップにはスズメガの仲間やコガネムシの仲間が来ていたが、ゴキブリの姿はなかった。風が吹いていたので、虫自体があまり飛んできておらず、賑やかさとは遠い状態だった。

見つけることができたゴウシュウゴキブリ属の一種は、その場では種がわからなかったため、車に積んでいたオーストラリアのゴキブリガイドブック『A GUIDE TO THE COCKROACHES OF AUSTRALIA』(Rentz, 2014) で調べてみることにした。どうやら、*Polyzosteria fulgens*という種のようである（図3-4-14）。fulgensは「光り輝く」という意味だ。光り輝くゴウシュウゴキブリ。なんとも素晴らしい。

図3-4-14　*Polyzosteria fulgens*。なんと美しいことか

ゴウシュウゴキブリ属を見つけられたことによりだいぶ気分がよくなっており、疲れはほとんど感じない。このまま勢いをつけて、ゴウシュウゴキブリ属の顔、キンイロゴウシュウゴキブリも見つけられるのではないだろうか。そんな気さえしてくる。

「モトさん、もう一ポイント行ってもいいですか？」

「いいですよ」

調子に乗って、あと一か所、ポイントに寄ることにした。

しかし、結果は惨敗。調子に乗るのはやはりよくないようだった。

こうして旅は続く

帰りの飛行機、今回の旅で出会うことが

できたゴキブリを思い起こす。オーストラリアでは二〇種ちょっとのゴキブリと出会うことができた。数えてみて意外に少ないなと思ったが、一種にかける時間が長かったゆえだろう。

「僕の知り合いが、フィリピンに行くらしいです」

隣に座っていたモトさんが言う。

「フィリピン！　いいですね。テントウゴキブリとかいますよ。いつか行きたいな～」

「調べてみたら、飛行機代は安いんですよね」

「行きたい国はたくさんありますけど、全部行っていたらお金なくなっちゃいますね。僕は南米に行きたいです。あと、タイとか、インドとかもいいですよね」

ゴキブリは現在、知られているだけで四六〇〇種以上。私がこれまでに出会うことができたのはほんの一握りに過ぎない。まだ見ぬゴキブリがまだまだいる。そう思うと、いても立ってもいられない。

次はどこに行こうか。

番外編③　「ゴキブリ」の由来を求めて

ゴキブリという名前

ゴキブリはしばしば、「名前が気持ち悪い」と言われてしまう。たしかに、濁音が二つも入った昆虫なんてあまりおらず、なんだかワサワサしたイメージがある。これが「コキフリ」だったとしたら、イメージもだいぶ変わっていたことだろう。今となっては、いつも眼鏡をかけている人が急に裸眼になったような「何か足りなさ」を感じてしまうが、「ゴキブリ」はそれくらい慣れ親しんだ名前ということだろう。

そもそも、ゴキブリはなぜ「ゴキブリ」という名前になったのだろうか。安富（一九九一）によると、「御器被り（ごきかぶり）」という名前が転じて「ゴキブリ」となったという。御器というのは図Ⅲ－1のような蓋つきのお椀のことをいう。これにあった残り物でも食べていたのか、被るようにしていた虫を

図Ⅲ-1　御器

御器被りと呼ぶようになったという。幅広い分類が掲載された昆虫図鑑には必ずといっていいほど登場するマイマイカブリという昆虫がいるが、本種はカタツムリ＝マイマイに頭を突っ込んで食べることからこう呼ばれている。ゴキブリも、もとはマイマイカブリと同じような経緯で名前がつけられたのである。それがあるとき、真ん中の「カ」だけどこかに落としてしまい、我々が慣れ親しんだ「ゴキブリ」という呼称になったのだ。

「カ」消失の原因となったのは、一八八四年発行の日本初の生物学用語集『生物學語彙』だ。この本では、今でいう「ゴキブリ」が二度登場するのだが、片方を「ゴキカブリ」とし、もう片方を「ゴキブリ」としてしまい、その後の本でも「ゴキブリ」が使われることで定着したという。当時は活版印刷だったため、ハンコのようなものを一つ一つはめ込んで印刷していた。その際、「カ」を入れ忘れてしまったのではないかとされている。この、ゴキブリがゴキブリとなった瞬間をどうしても見たくて、私は『生物學語彙』を探すことにした。

「ゴキブリ」のはじまり

まず手始めに、古書店のウェブサイトや古書の横断検索サイト、ヤフオク、メルカリなど、思いつく限りの古書を扱う販売サイトをぐるぐると回ってみたが、過去に販売された形跡すら見当たらない。『生物學語彙』は一八八四年に初版のみ発行された書籍で、そうやすやすと手に入るものではないのはわかっていた。しかし、あまりにも何の手掛かりも得られないゆえに「現存しているのか？」という疑いさえもってしまう。

ただ、収穫がまったくなかったわけではない。国立国会図書館のウェブサイトに、『生物學語彙』のＰＤＦが公開されているのを見つけたのだ。早速ダウンロードして中を見てみることにした。ゴキブリが載っているページを探していくと……あった。「Blatta」の訳に「蜚蠊属（ごきかぶりぞく）」とある。これが一つ目の掲載箇所のようだ。引き続き、二つ目を探していくと、見つけた！「Cockroach」の訳として「蜚蠊（ごきぶり）」とある！一か所目と同じ漢字にもかかわらず、二か所目では「か」の文字がない。これがのちに名を馳せることになる「ゴキブリ」の誕生だ。

望み通り「ゴキカブリ」から「ゴキブリ」呼びに変化した原因を見ることができて多少興奮した。しかし、何か足りない。

私は、マンガなどは電子書籍で読むことが多いが、エッセイや小説、図鑑などは紙の本派だ。ペラペラとめくるあの感覚を感じていたいし、部屋に積んでおくだけで賢くなれる気がするからだ。そんな私が、ＰＤＦデータで満足できるはずがない。これでは賢くなれないのだ。実物を見て、「これがゴキブリの誕生だ！」と叫びたい。

やはり、どうにかして実物を手に入れられないだろうか。粘り強くネットの海を泳ぎつづけたが、ついぞ宝の島に行きつくことはできなかった。

それから足を使って古書店を探すも、自宅のある静岡の書店にも東京の書店にも、影はなかった。


ある日、こうなったらＳＮＳで情報提供を呼びかけてみようと思い立った。今は気軽に多くの方と繋がることのできる時代。それゆえに危険なことや危ない人と繋がってしまうこともあるが、情報提供の呼びかけなどを行ないたい場合は便利である。

早速、Twitterで『生物學語彙』についての情報提供を呼びかけた。すると数名から、もしかしたらここに在庫があるかもしれないという書店を教えていただくことができた。早速、在庫確認のメールを一軒ずつ送ることにした。まず一軒目。在庫なし。まぁ予想通りだ。二軒目。なし。まぁまぁまぁまぁそうだろう。三軒目。なし。そろそろ心がつらくなってきた。四軒目。なし。もうだめかもしれない。

諦めるな！　と自分に鞭を打って五軒目に連絡。すると、「以前は在庫がありましたが、たしか売れたと思います。もし在庫があったり、入荷したりしたら連絡します」との返答だった。なんと！　今までで一番惜しいところまできた！　ようやく影を見ることはできたが、やはり一筋縄ではいかないようだ。もし在庫があった場合や入荷した場合は連絡していただけるよう再度お願いして、次の古書店にメールをする。しかしこちらはすぐに返答があり、在庫なしとのことだった。

やはり実物はそう手に入らないのだろう。諦めかけていたとき、在庫を調べてくれていた古書店からメールが届いた。「倉庫を探したところ、在庫がございました」読んだ途端、息が止まった。ついに、あの宝が見つかったのだ。

メールには写真が添付されている。PDFで内容を見ていたとはいえ、外観は初めて見る。しかし背表紙に『生物學語彙』と記されており、著者名も一致。間違いなく探し求めた本である。価格は一万六五〇〇円。十万円といわれても、もやしを主食と決めて買っていただろう。二つ返事で購入した。

図Ⅲ-2　やっと手に入れた！『生物學語彙』

それから五日後。職場に郵便が届いた。送り先を見てみると、あの古書店である。受け取り、早速梱包を解いていく。カッターなど怖くて使えないので、筋肉自慢よろしく手で梱包を引きちぎった。すると中から透明な袋に丁寧に入れられた状態で、求めつづけた『生物學語彙』が姿を現した（図Ⅲ-2）。

想像以上に小型である。カバーのようなものはないが、この形が当時は普通だったのだろうか。背表紙は革のようなものでできており、金色の文字で「生物學語彙」とある。あぁ、なんて神々しいのだろうか。

適当なページをゆっくりと開いてみる。まず目に入ってきたのは達筆な筆記体の書き込みだ。この本の元の持ち主が、熱心に追記したものだ（図Ⅲ-3）。普通の小説であれば「こんなところに落書きしやがって！」と文句も言いたくなるし、それがもし推理小説で、中盤まで読み進めてここからおもしろくなるぞ！　というときに犯人の名前でも書かれていればぶん投げたくなるものだが、この書き込みはそんなことはない。元の持ち主が熱心に勉強をしていた証である。

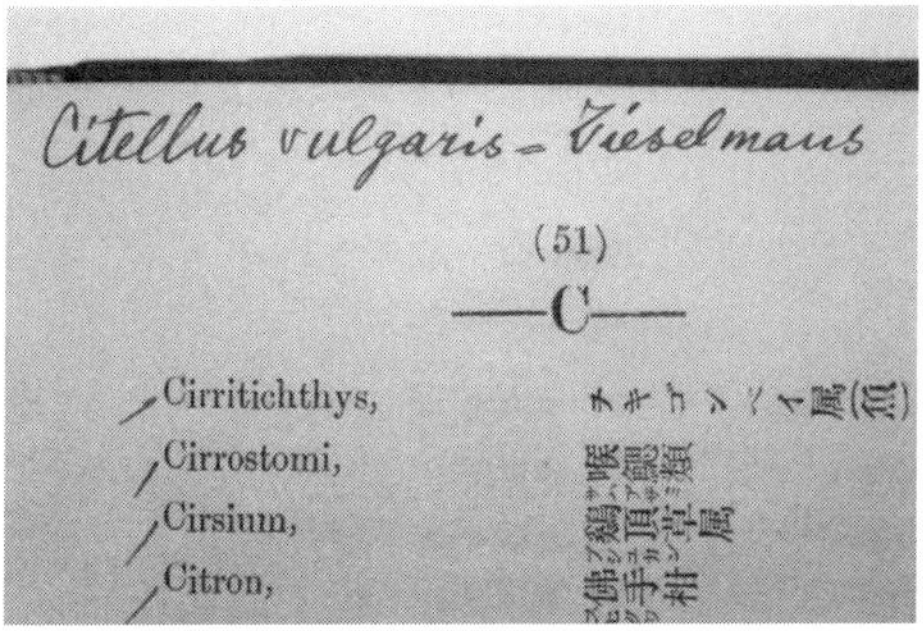

図Ⅲ-3　中には歴代所有者の蔵書印や書き込みがある

続いて、ハンコで押したようにところどころかすれのある印刷が目に入る。さまざまな生物の用語が、英語とその日本語訳といったセットで記されている。並び順は単語のアルファベット順である。早速、ゴキブリが登場する二か所を探すことにした。まずはBlatta（図Ⅲ-4）。日本語の訳には「ゴキカブリ」とある。ＰＤＦで見ていて、しかも初版しかないので、

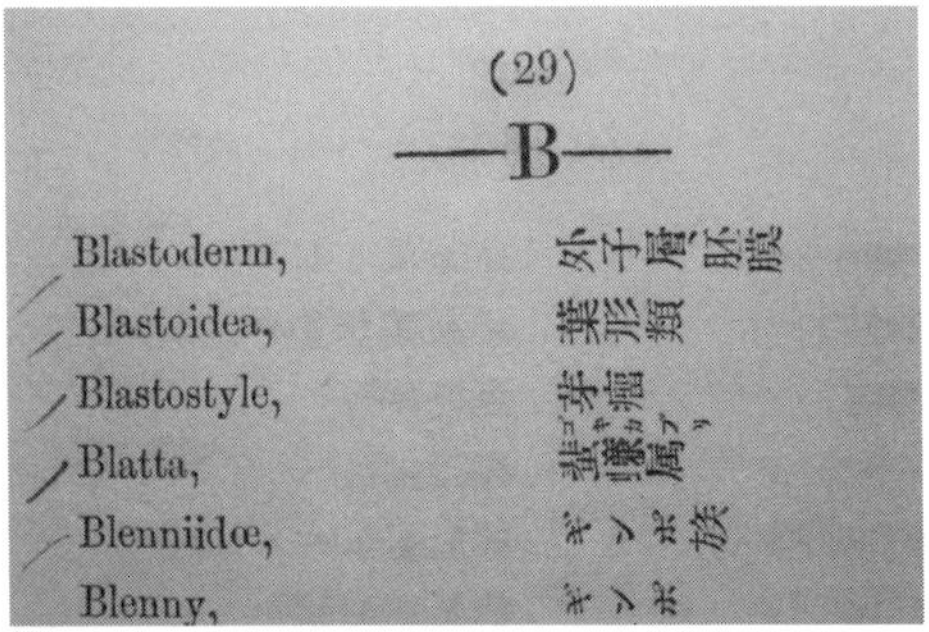

(29)

—B—

Blastoderm,	外子層、胚膜
Blastoidea,	葉形類
Blastostyle,	芽瘤
Blatta,	蜚蠊《ゴキカブリ》属
Blenniidœ,	ギンポ族
Blenny,	ギンポ

図Ⅲ-4　Blattaはゴキカブリ

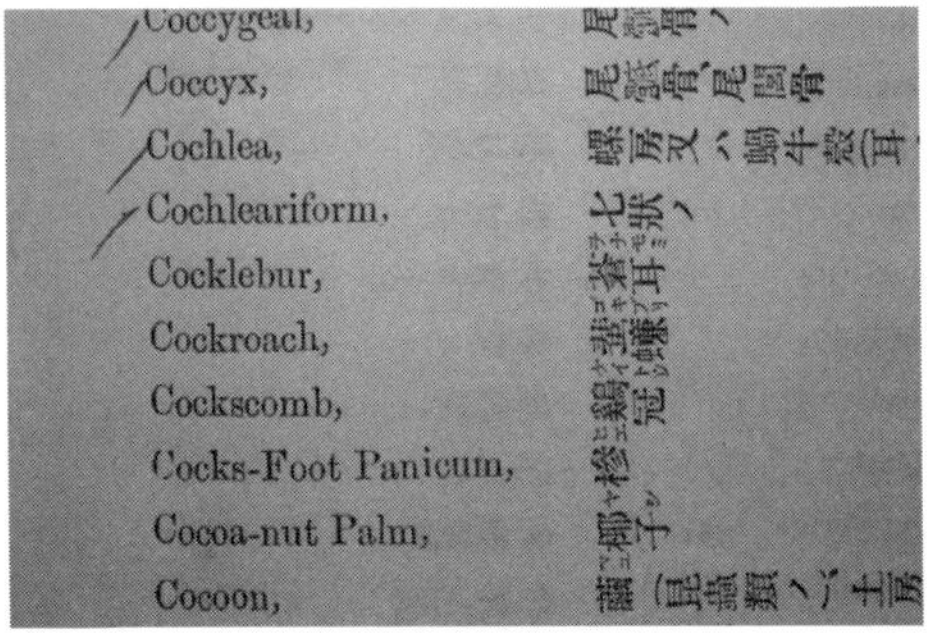

Coccygeal,	尾骶骨ノ
Coccyx,	尾骶骨、尾閭骨
Cochlea,	螺房又ハ蝸牛殻(耳
Cochleariform,	匕状ノ
Cocklebur,	蒼耳
Cockroach,	蜚蠊《ゴキブリ》
Cockscomb,	鶏冠
Cocks-Foot Panicum,	稗
Cocoa-nut Palm,	椰子《ヤシ》
Cocoon,	繭（昆虫類ノ）、土房

図Ⅲ-5　Cockroachはゴキブリ！

まったく一緒なのは当たり前なのだが、ついつい「おお」と声が漏れる。そして本丸のCockroach（図Ⅲ-5）を探す。見つけた。ゆっくりと日本語訳に視線を滑らすと、そこには「ゴキブリ」の文字があった。ゴキブリ史において重要な転換点を目の当たりにし、息が漏れる。

ここから、世は「ゴキブリ」時代を迎えたのだ。

おわりに

旅をしていると、考えさせられる場面に出会うことがある。

「こんなところまで来て、なんでゴキブリなんだ？」

これは宮古島でゴキブリ探しをしていたところ、地元の男性に言われた言葉だ。

至極まっとうな意見だと思う。宮古島には日本一美しい砂浜も、沖縄屈指の青さを誇る「宮古ブルー」の海を見渡せる景勝地もある。それらに目もくれず、なぜゴキブリなのかと。このとき、私は答えに詰まってしまい、「ゴキブリを研究しているので」という、煮え切らない答えを返してしまった。その後、あのときの本当の答えは何だったのだろうと考えた。

悩み悩み、とても簡単な答えに至った。私にとっては、日本一美しい砂浜よりも、沖縄屈指の青さを誇る「宮古ブルー」の海を見渡せる景勝地よりも、ゴキブリのほうが魅力的だからだ。

ゴキブリは世界に四六〇〇種以上。私はその十分の一も見たことがない。誰もが知っていて身近にいる昆虫だが、その奥は深く、誰も底を知らない。人間との距離が近く、文化的にも興味深い。そもそも、なぜゴキブリは嫌われるのだろうか？　彼らとの毎日は興味と謎が湧き出て止まらない冒険をしているようだ。

ゴキブリはおもしろい。

これが、私がゴキブリを追う理由だ。

本書の執筆にあたっては、さまざまな方のお世話になった。遠征の同行や休みの調整、飼育の代行などをしていただいた、磐田市竜洋昆虫自然観察公園の北野伸雄館長、荒井克也くん、さまざまな遠征や多くの研究をともにし、今回の原稿に誤りの情報がないか確認してくれた大北祥太朗くん、アカズミゴキブリの記載にあたって力をお貸しいただいた小松謙之さん、クロモンチビゴキブリ採集で何時間もの運転をしてくださった野村拓志さん、マレーシア遠征においてガイドや現地での宿泊などを手配してくれた外村康一郎くん、オーストラリア遠征において飛行機の予約から現地での各種手続きまで諸々すべてしていただいたモトさん、ヨロイモグラゴキブリの巣内から出てきた謎のカブトムシを同定してくださった柿添翔太郎さん、ヘビの同定をしてくださった田原義太慶さん、写真の掲載許可や助言をいただいた宮田陵さん、研究のイロハを教えてくださった法政大学の島野智之先生、鹿児島大学の坂巻祥孝先生、昭和大学の蛭田眞平先生、採集に同行してくれた友人たち、支えてくれた家族に、この場を借りて厚くお礼申し上げる。皆様のご助力がなければ、この書籍は書き上げられなかった。

そして、出版の機会をくださったベレ出版の永瀬敏章さんに、この場でお礼申し上げる。こんなマニアックな本を世に出すことができたのは半分奇跡、もう半分は永瀬さんのお力によるものである。

ふと、これまでゴキブリ探しのためにどれだけ移動したのか気になって計算してみた。その結果、約十万キロ、地球二周分以上だったことが判明した。気づかぬうちにずいぶん遠いところまで行っていたようである。分量の都合上、載せられなかった旅の話も多くあるが、それらはまたどこかでご紹介したいと思う。

ゴキブリは嫌われがちな生き物だ。そんなゴキブリを、わざわざお金と時間をかけて探しにいくというのは、あまり理解されない話かもしれない。ただ、「そんな人もいるんだ。楽しそうでいいね」くらいに思ってもらえて、少しでもゴキブリのおもしろさが伝われば十分である。私たちは、住む世界は一緒だが、見えている世界は一人ひとり違う。お互いにその世界の端っこでも共有していけたら、自分だけでは見えなかった世界が見えてくるかもしれない。私も多くの方の目を借りて世界を見ているし、私も誰かにとってそういう存在になれたらうれしい。

普段は見ようとしていないだけで、ゴキブリは皆さんの近くにもいる。この本を閉じ、顔を上げたら彼らの世界が見えてくるかもしれない。できれば見たくないよ、という方もいるかもしれないが、ここまで読んでくださったのだから、そんなつれないことは言わないで、ちょびっと覗いてみたらいかがだろうか。もしかしたら、彼らの魅力に取りつかれてしまうかもしれない。

2023年12月　柳澤 静磨

ゴキブリ旅の持ち物

服は最小限、機材で荷物が重い

「島や海外へ出かけるとき、どんなものを持っていくのですか?」

ゴキブリ探索旅の話を講演会などですると、こういった質問を受けることが多い。生き物を探す人の持ち物は、普通の旅行者よりも多くなる傾向があるのではないかと思う。採集する人は採集道具やケース類がかさばるし、撮影する人はあれやこれやと撮影機材を持っていく。逆に、服は最小限に留めることが多い。

生き物好きといっても、対象とする生き物や、その生き物との関わり方によって、持っていくものはさまざまだ。ここでは、ゴキブリ屋の私が遠征時に持っていくものを紹介する。

【服装】

野外で虫を探す際は、服装に気をつける必要がある。草で擦ったり、虫に刺されたりすることがないよう、基本的には長袖長ズボンを着用する。私はゴキブリを見つけたときにすぐにケースを取り出せるよう、ズボンのポケットにケースをいくつか入れておくので、ファスナーつ

きの大型ポケットがついたズボンが便利で重宝している。悪路やがけを登る際も、ファスナーを閉めておけばケースを落とすことがない。
靴はグリップの効く登山靴を履き、場所によっては長靴に履き替えて対応している。基本的に夜間に動くことが多いので、帽子はあまり被らないが、真夏の昼に調査する場合などは着用する。また、寒さや雨から身を守るために、小さく収納できるウィンドブレーカーなどを持ち歩き、いつでも着られるようにしている。

【採集道具】

一番重要なのが採集道具だ。海外遠征の場合は持っていかない（採集ができないことが多いため。許可がとれている場合は持っていく）こともあるが、国内への遠征時は必ず持っていく。最初に用意するほど、最重要の持ち物である。ここからはリスト形式で紹介したい。

□ケース

採集したゴキブリを入れるためのケース。私は主に遠沈管（60ページ）というものを三〇〜四〇個ほど持っていくようにしている。ただし、この遠沈管は大きなゴキブリは入らないので、一七〇ミリリットルのクリーンカップ（写真）を二〇個ほど持っていき、大きなゴキブリはこれに入れるようにしている。

□防湿容器

ゴキブリを捕獲する際、手でつまむと潰れてしまうことがある。そのため、防湿容器（透明なフィルムケースのようなもの）をゴキブリに被せるようにして捕獲し、防湿容器の上に登った隙に、口を遠沈管に接続し、衝撃を加えて捕獲する。

□ライト

夜間採集には欠かせない道具だ。私はヘッドライトを一つと手持ちライトを一つの合計二つを持っていくことにしている。片方が使えなくなった場合に備えてのことだ。

□充電池

ライトやフラッシュに使う電池。充電式のものを、予備も含めて二〇本ほど（単四を十本、単三を十本）持っていく。使っている機材に合ったものを準備する。

□網

高所にいるゴキブリや、枯れ葉に潜むゴキブリを狙う予定がある場合は、捕虫網やビーティングネットを持っていく。かなりかさばるので、必要がなさそうであれば持っていかないことも多い。

□油性マーカー

これは採集したゴキブリのケースに、どこでいつ採集したかなどの情報を書き込むために持っていく。遠征時はさまざまな場所で多くの個体を採集するので、ごちゃ混ぜになると、いつどこで採集したゴキブリかわからなくなってしまう。重要な持ち物である。

□雨具

採集中、雨に襲われることも少なくない。服が濡れると体温を奪われてしまうので、防水の雨具を持っていく。私はmont-bellの雨具を愛用している。

□虫よけスプレー

野外にはカやダニなど、人体に被害を与える生き物が多く生息している。これらの生き物による被害を最小限に抑えるため、虫よけスプレーは必須だ。飛行機にも持ち込めるもので、効果が長時間続く商品を選ぶといいだろう。私はディートを三〇パーセント含む霧吹きタイプの虫よけスプレーを使っている。まんべんなく塗ることが重要である。

□ダニ取りピンセット

決して自慢ではないが、私はこれまでに何度もダニの被害にあっている。刺されないのが一番だが、もし被害に遭ってしまった場合は、このダニ取り用のピンセットで皮膚からダニを取る。ただ、下手に取るとダニの口器が皮膚に残ってしまうので、基本的には病院で診察・取り除いてもらうほうがよい。

□非常食

何かあった際にエネルギー補給ができるように、パンやカロリーメイトなどの携帯食料を持っていく。

□キリ

小型のものを持っていく。ゴキブリを入れたケースに小さな穴をあけて酸欠にならないよう加工したり、蒸れないように通気性を確保したりするときに使う。

□長靴

湿潤な森林内を歩く際や川を渡る際にあると便利。折りたためる軽量なものがよい。

□軍手

倒木や石の下、落ち葉をどかしてゴキブリを探す際に使用する。手を汚さないだけでなく、細かいケガも防ぐことができる。

□ファーストエイドキット　ケガなどの際に応急処置ができる用品が入っている。必要なものがあらかた入っていて、そのまま持っていける商品もあるし、ネットやアウトドア系の本で詳しく説明しているので自分でつくることも可能。

【撮影機材】

ゴキブリの撮影は採集同様、夜間に行なうことが多い。そのため、カメラやレンズだけでなく、フラッシュなどの光源も必要だ。また、動画を撮影することもあるので、動画用の機材も持っていくことが多い。

□カメラ　野外ではかなり過酷な環境で使用するので、防水防塵のカメラを使用している。OM-1というカメラだ。多少荒く使っても、泥まみれになっても壊れないのでたいへん頼もしい。

撮影中の著者

□フラッシュ　夜間にゴキブリを撮影する際は必須である。突如として壊れることがあるため、海外遠征時は予備のフラッシュも持っていくようにしている。

□GoPro

動画撮影はあまり行なわないが、採集の様子や生息環境を撮影するのに使用することがあるため、遠征時は持っていくことにしている。

□バッテリー

フラッシュやGoPro、カメラのバッテリーを、それぞれ予備も合わせて持っていく。これがかなり重く、持ち運びに苦労するが、なくてはならないものだ。

□充電器

各種機材の充電器。忘れがちなものだが、機材に合わせて対応するものを持っていく。

□ガムテープ

これは撮影機材以外にもよく使うが、ガムテープは必需品である。壊れた機材や採集道具の修復、ズボンの裾を長靴に入れて継ぎ目をガムテープでふさぐことによりダニなどの侵入防止など、さまざまな場面で活躍する。

【生活用品】

□衣類

泊数に合わせて持っていく。といっても三セット分ほどのことが多く、現地で洗濯して着回す。洗濯機がないときは、シャワールームで手洗いすることもある。

□歯ブラシセット　生き物探しの旅というと、ジャングルの中でサバイバル生活をしながら、ヒゲを伸ばしてひたすらに生き物を追うというイメージがある方が少なからずいるようなのだが、そんなことはたまにしかなく、多くの遠征では宿に拠点を置くことが多い。寝る前は歯磨きをする。人間としての生活を忘れてはならない。

□雪駄・サンダル　現地での軽い移動用。登山靴を常に履いていると窮屈なので、これがあると便利。飛行機で長時間移動するときも使える。

□タオル　一枚あると汗を拭いたり、シャワーの後に体を拭いたりと、さまざまなことに使える。宿に備えつけてある場合でも、一枚は必ず持っていくことにしている。

□ウェットティッシュ　採集後、運転するときなどに汚い手のままハンドルを持ちたくないので、手を拭くために持っていく。

【海外遠征用追加荷物】

海外に行く際は、国内の旅よりも荷物が多くなる。ここでは重要なものを紹介する。また、持ち物以外にも、これまでに受けた予防接種の確認や追加接種などをお勧めする。

□パスポート

期限が残っているか、あらかじめ確認する。

□国際運転免許証

運転する可能性がある場合は持っていく。国際運転免許証だけでは運転できないので、日本の運転免許証も持っていく。国際運転免許証が有効な国かどうかも確認する。

□航空券

電子チケットだけだと不安なので、紙でも持っていくようにしている。

□コンセント変換アダプター

国によってコンセントの差し込み口の形が違い、充電器などが挿せない場合があるため、訪れる国に合わせて変換アダプターを持っていく。この際、持っていく電子機器の使用可能電圧にも気をつける。

旅は楽しく安全に

以上、ゴキブリ探しを行なう際に私が持っていくものだ。もしどこかへゴキブリ探しに行くという方がいたら参考にしていただければと思う。どこに行くにしても、旅は楽しく安全に。見つけた、採れたよりも大事なのは、安全に帰ってくることである。私も肝に銘じて、これからも旅を続けていきたいと思う。

引用文献・ウェブサイト（アルファベット順）

・旭和也・遠藤拓也・小松謙之「ゴキブリ目」日本直翅類学会（編）『日本産直翅類標準図鑑』Pp. 212-215、2016年、学研プラス、東京
・Beccaloni G. W., 2014. Cockroach Species File Online. Version 5.0/5.0. World Wide Web electronic publication. accessed 16 August 2023.
・Bell W. J., Roth L. M. and Nalepa C. A., 2007. *Cockroaches: Ecology, Behavior and Natural History*. The Johns Hopkins University Press, Baltimore.
・盛口満『わっ、ゴキブリだ！』2005年、どうぶつ社、東京
・難波恒雄『原色和漢薬図鑑（下）』1980年、保育社、大阪
・Rentz, D., 2014. *A guide to the cockroaches of Australia*. CSIRO Publishing, Collingwood, Victoria.
・田原義太慶・柴田弘紀・友永達也『毒ヘビ全書』2020年、グラフィック社、東京
・柳澤静磨『ゴキブリハンドブック』2022年、文一総合出版、東京
・Yanagisawa S., Okazaki K. & Ohgita S., 2023. A unique oviposition behavior and oothecal morphology in *Anaplectella ruficollis* (Karny, 1915) (Blattodea: Blattellidae). *Edaphologia*, 112: 25–29.
・Yanagisawa, S., Ohgita, S. & Komatsu, N.. 2021a. *Periplaneta kijimuna* sp. nov. (Blattodea: Blattidae) from Iriomote-jima, Japan. *Japanese Journal of Systematic Entomology*, 27(2): 224-226.
・Yanagisawa, S., Hiruta, S. F. Sakamaki, Y., & Shimano, S.. 2021b. A new species of the genus *Eucorydia* (Blattodea: Corydiidae) from the Miyako-jima Island in Southwest Japan. *Species Diversity*, 26(2): 145-151.
・Yanagisawa, S., Sopark J. Sakamaki, Y., & Shimano, S.. 2021c. A New Species of the Genus *Eucorydia* (Blattodea: Corydiidae) from Chiang Mai in Northern Thailand. *Species Diversity*, 26(2): 191-195.
・Yanagisawa, S., Hiruta, F. S., Sakamaki, Y,. Liao, J. R., & Shimano, S.. 2020. Two New Species of the Genus *Eucorydia* (Blattodea: Corydiidae) from the Nansei Islands in Southwest Japan. *Zoological Science* 38 (1): 90-102.
・安富和男『ゴキブリのはなし』1991年、技報堂出版、東京

参考文献（アルファベット順）

・朝比奈正二郎『日本産ゴキブリ類』1991年、中山書店、東京
・石井象二郎『ゴキブリの話』1976年、北隆館、東京
・鈴木知之『ゴキブリだもん――美しきゴキブリの世界』2005年、幻冬舎コミックス、東京
・辻英明『衛生害虫ゴキブリの研究』2016年、北隆館、東京

著者紹介

柳澤 静磨（やなぎさわ・しずま）

▶1995年生まれ、東京都出身。
磐田市竜洋昆虫自然観察公園職員。ゴキブリ談話会世話役。

幼少期からゴキブリが大の苦手だったが、2017年に西表島で出会ったヒメマルゴキブリのゴキブリらしからぬ姿に驚き、それ以来、ゴキブリの魅力に取りつかれる。現在はゴキブリストを名乗って、ゴキブリの展示や講演会などを通してゴキブリの魅力を伝えている。2020年に35年ぶりとなる日本産ゴキブリの新種2種を記載し、その後も複数種の新種を発表している。

著書に『「ゴキブリ嫌い」だったけどゴキブリ研究はじめました』（イースト・プレス）、『ゴキブリハンドブック』（文一総合出版）、『学研の図鑑 LIVE 昆虫 新版』（学研プラス、分担執筆）がある。

◉── ブックデザイン・装画　重実 生哉
◉── DTP　清水 康広(WAVE)
◉── 図版　いげた めぐみ
◉── 校正　曽根 信寿

愛《いと》しのゴキブリ探訪記《たんぼうき》

2024年 1月 25日　初版発行

著者	**柳澤《やなぎさわ》 静磨《しずま》**
発行者	内田 真介
発行・発売	ベレ出版 〒162-0832　東京都新宿区岩戸町12 レベッカビル TEL.03-5225-4790 FAX.03-5225-4795 ホームページ　https://www.beret.co.jp/
印刷	三松堂株式会社
製本	根本製本株式会社

ISBN 978-4-86064-750-6 C0045　編集担当　永瀬 敏章